不肖・宮嶋 撮ってくるぞと喧《やかま》しく!

宮嶋茂樹

JN262580

祥伝社黄金文庫

（この作品『不肖・宮嶋　撮ってくるぞと喧しく！』は、平成十三年四月、都築事務所から『不肖・宮嶋の天誅下るべし！』として四六版で刊行されたものを改題しました。登場人物の役職名、肩書き等は、当時のままとしました）

まえがき

これで、多分一三冊目ぐらいやと思う。二十代の頃は額を擦《こす》り付けて「この宮嶋を男にしてください。便所掃除でも何でもやります」とお願いして出版していただいたのに、あれよあれよと言う間に十数冊。しかも、それらがどれもソコソコ売れているのである

しかし、これは必然の成り行きであろう。カメラマン生活一七年、私が命を削ってやり遂げてきた偉業の数々が、きわめて正当に評価されているだけなのである。

なーんて思っていたら、最近、タレントの告白本がやたらと売れているではないか。ブラウン管の中で媚《こ》び売るだけのオイシイ商売をしとるのに、なんで我々の猟場まで荒らしに来るんやぁ！　あの飯島某嬢の本は一〇〇万部に迫るというではないか。一〇〇部ではない。ひゃくまん部である。私の全著作をひっくるめても、その何分の一かにしかならんではないか。シンナー吸って、男と遊びまくっていた元ＡＶ嬢の本が一〇〇万部か――。エエのぉ。

文部省は何をやっとるんじゃ！　健全な青少年の育成のためにも、機密費を使ってでも拙著を一家に一冊、配ったらんかい！

私の一七年間の汗と涙は、元AV嬢の経験にも劣るんかあ！　薬物にこそ手を出していないが、私の下半身の修羅場だって、単行本の一章分（本書第六章を熟読されたい）ぐらいにはなったど。元AV嬢より書ける漢字は多い（と思う）ぞ！　彼女は自分で書いてたかどうか知らんが、私は本当に自分で書いたぞ！

こんなことなら、カメラマンにならずにAV男優になるんやった。

トホホッ、情けな――。

しかし、こう毎年本ばっかり出してもおれん。報道カメラマンは、カメラを持って現場にいてこそ、世の中のお役に立てるのである。現場こそ我が家、修羅場こそ団欒なのである。

この本をご覧になられたクライアント（出版社）の皆様、あと一〇年くらいは、今のまま頑張れますんで、私を現場に送り込んでやってくださいまし。不肖・宮嶋、一度引き受けたら、いかなるミッションにも全力を尽くすことをお約束致します。そして見事、現場で真っ白な灰になるまで燃え尽きてみせます。

最後に、報道カメラマンになろうと考えている若者たちに言っておく。貴様らに、人間である前にカメラマンたる覚悟はあるか。この本を読んで考え直せ。他に進む道はいくらでもある。

万一、なってしまったら、私のカメラの前には立つな。ゴルゴ13が音もなく背後に立たれることを嫌うように、私は、私のカメラ・アングルに入られることを異常に嫌う。私は、それを私への明らかな敵対行為と見なす。そのことを伝えて前書きとさせていただく。

平成十三年四月

宮嶋　茂樹

目次

8、ダッチ・ワイフと真珠を持って！

――南極観測隊同行ウラ日記・前編

11、天誅、下るべし！

編集協力　都築事務所

1、愛人マンション張り込み記

――シッコは急に止まらない！

史家は天の配剤と記《しる》すであろう

むかしむかし、その昔、東京は音羽《おとわ》の杜《もり》にフライデーという写真誌が創刊されたそうな。そこに不肖・宮嶋というカメラマンがおって、馬車馬《ばしゃうま》のようにコキ使われておった。若い身空《みそら》で、なんの因果か、張り込みばかり。新米の宮嶋はドジを踏んでは、デスクや先輩カメラマンに怒鳴られ、仲間たちに嗤《わら》われておった。それでも宮嶋は頑張りました。臥薪嘗胆《がしんしょうたん》、石の上にも三年。雨ニモ負ケズ、風ニモ負ケズ、雪ニモ夏ノ暑サニモ負ケズ。それを天から見ていた神様は、健気《けなげ》な宮嶋に黄金のベンツを授けました。

というわけで、フライデー時代の話から始めよう。

私が日大芸術学部写真学科を優秀な成績（本当である。学部創設者・金丸重嶺先生の名を冠した名誉ある金丸賞を受賞。金時計をもらった！）で卒業し、カメラマンとして立ったとき、出版界は写真誌戦争のまっただ中であった。

嚆矢《こうし》となった新潮社のフォーカスを追って、講談社のフライデー、光文社のフラッシュ、小学館のタッチ、そして文藝春秋のエンマが創刊され、激しい取材合戦が始まったのである。

不肖・宮嶋、幼少よりカメラマンになるべく研鑽《けんさん》の日々を送ってきた。そして、いざ世に出んとする、まさにそのとき、天は最高の舞台を用意したのであった。後年、私の伝記をモノす史家は、これを「天の配剤」と記《しる》すであろう。

フライデーが創刊され、しばらくした頃のことである。それまで創刊のゴタゴタと小さなネタばかりで、髀肉《ひにく》の嘆《たん》をかこっていた私に、ようやく本格的なお座敷がかかった。

巨人の角三男《すみみつお》投手（後に巨人軍ピッチング・コーチ。現在は太田ソロ所属）が女房と別れ、博多で知り合った女と同棲しているというのである。

当時、角投手と言えば、大巨人軍のリリーフ・エース。最近でいえば大リーガーになった元横浜の大魔人・佐々木主浩《かずひろ》投手のような存在であった。

そのような大スターが糟糠《そうこう》の妻を省《かえり》みず、愛人のもとに走ってよいものであろうか。

まぁ、それが取材する側の理屈だが、よいか悪いかと問えば、悪いに決まっている。しかし、ホレタハレタというのは、所詮、善悪を超越しておる。今更そんなことを持ち出してもはじまらん。報道の自由などと言うのはもっとアホタレであろう。

要するに好奇心なのである。大巨人軍のリリーフ・エースがどんな顔で愛人と暮らしているのか見たいのである。その愛人の顔も見たいのである。だから、撮ってくる。これほどわかりやすいことがあろうか。

角投手の話は、相手の女のごく近い筋からのタレコミであった。二人はすでにけっこうな仲で、愛の巣は世田谷区弦巻《つるまき》の某マンションであると――。多摩川の巨人軍グランドから目と鼻の先である。編集部の森氏とK記者が調べたところ、かなり信頼度の高い情報のようであった。

ターゲットの角投手の顔は、もちろんわかる。わかっていなかったのは女の顔。これを撮るのが、私に与えられた仕事であった。

最大の敵は疑心暗鬼

さっそく現場に行ってみると、張り込みには絶好のロケーションであった。マンションの出入口は表玄関の一ヵ所だけ。その斜め前、道路を隔《へだ》てた向かい側にタクシー会社の駐車場があった。当然たくさんの車が停まっている。ここなら一日中、ワゴン車が停まっていても、まったく不審ではない。玄関までちょっと距離があるが、その分、ターゲットには気付かれにくい。

我々はタクシー会社に猫なで声で交渉し、その駐車場に一台分のスペースを確保した。ターゲットの名はもちろん、張り込みであることも明かさずに。

まずは女の顔《ガン》ワリ（業界用語で顔を確認すること）である。このマンションに出入りする人間、特に女の顔を全員押さえる（写真を撮る）。ほぼ全員を押さえたと確信したら、彼女のガン首（顔）を知っている情報提供者に写真を見せ、ターゲットの女を特定してもらうのである。

早速、ワゴン車で早朝から夕方までの限定張り込みにかかった。要員は私とK記者、水田記者の三名。私はワゴン車の中に三脚を据え、三〇〇ミリの望遠レンズを付け、ケーブル・レリーズをセットした。

玄関から出てくる人影が見えたら、レリーズを押す。入って行く人間は後ろ姿になるから捨てる。ただし、玄関右側の郵便受けを覗《のぞ》く者は横顔が撮れる。このマンションの住人である確率が高いから、要注意である。

ピントを玄関から少し出たところに合わせ、ストッパーをかけた。これだと郵便受けを覗く人物にもフォーカスがあい、バッチリである。

三人で交替しながら玄関を見張る。レリーズだけはずっと私が握り、人影が現れるとシャッターを押した。フィルムの残量のチェックもカメラマンの重要な仕事である。いざという時「フィルムが切れていた」では、すべてがパーになってしまう。残量が一〇枚を切ったら、ためらわず交換していく。

単調な仕事であった。折しも初夏。エアコンは気休めにしかならない。車を停めたままなのでパワーが出ないのである。ワゴン車の中に煙草とコンビニ弁当の臭いが籠もり、暑さにゲンナリし始めた頃であった。

我々は玄関に現われた人影に「オッ」と小さな声をあげ、顔を見合わせた。アンダーシャツにサングラスという姿。スポーツ・バックを抱えた大柄な男は紛《まぎ》れもなく角投手本人である。多摩川グランドに向かうのであろう、愛車のスバル・レオーネに乗って走り去った。

張り込みの最大の敵は疑心暗鬼である。こんな所に一日中張り込んで、本当にターゲットはいるのだろうか。もしかしたらガセネタなんじゃないか？　そう思い始めると辛《つら》くなる。いつ終わるともなく続く、その辛さに耐えかね、写真誌を去った連中が腐るほどいる。「張り込みは青春の浪費だ」という名言を残して――。

張り込み初日にしてターゲットを確認できたのは、幸運なことであった。

チャゲの写真

二日目も同じようにして張り込み、マンションに出入りする人物を撮り続けた。そして、夜、編集部に上がって現像し、紙焼きを森氏に渡したときである。パラパラとめくっていた森氏が一枚の写真で手を止め、首を傾《かし》げた。

「どないしたんですか？　例の女がおりましたか？」

写真を覗いてみると、写っているのは女ではなく、若い男である。

「いや……、そうじゃない！　おい、この男！　チャゲに似ていないか？」

「ハゲでっか？」

「チャゲだよ！　チャゲ　アンド　アスカのチャゲだよ！」

「そんな奴……、私、知りませんわ！」

「そうか……、まぁいいか。この際、本筋のほうに集中しよう！」

というわけで、その人物の写真も、その他大勢と一緒に森氏のロッカーに保管された。時がきたら情報提供者に見せ、顔ワリするためである。

「じゃあ……、念のため、明日一日だけやってみて、それから顔ワルまで、休もうか」

森氏の判断で我々は三日目の張り込みにかかった。この日、巨人は後楽園で試合がある。その前に多摩川グランドで練習の予定もある。こうしたことを調べておくのは記者の仕事で、K記者と水田記者は、その週の巨人軍のスケジュールをきっちり把握していた。午後、遠征に出かけていた角投手がタクシーで帰宅した。おそらく一息入れて再び出てくる。多摩川グランドへ練習に行かねばならないのだから。

「宮嶋、すぐ出るぞ！　準備しろ！　ツーショットが撮れない時は単独でもページになるぞ！」

そりゃあそうである。天下の巨人軍の押さえの切り札（当時）が不倫かまして、水商売の女と同棲しているのである。警戒していないハズがない。とすれば、ツーショットを撮るには時間がかかる。その間に他誌に気付かれてしまっては元も子もない。

このマンションの玄関で、別々ではあっても角投手と愛人を撮れたら、その時点でページにしたほうがいい。ベストはツーショットだが、バラバラの写真でも顔をシッカリ押さえれば、一応、張り込みは成功なのである。

すなわち、角投手単独の写真でもリキ入れて撮らんといかんのである。いくら置きピン（固定フォーカス）だといっても、ターゲットはどんな動きをするかわからない。私は気合いを入れ、改めてファインダーを覗き直し、息を殺した。

「もう辛抱できまっしぇ～ん！」

しかし、一時間たっても動きがなかった。玄関を凝視《ぎょうし》し続けた目が乾き、レリーズを握る右手がジットリと汗ばんだ頃であった。私は尿意を覚えた。平たく言うとオシッコがしたくなった。

カメラマン、特に報道カメラマンは、タイミングよく排泄しておかなければならない。あるいは、ときに排泄の欲求を無視して任務を遂行せねばならない（この点については祥伝社黄金文庫『不肖・宮嶋　死んでもカメラを離しません』を参照されたい）。

これには職業上のコツとでもいうべきノウハウがあるのだが、悲しいことに、この時、私はまだ、それを体得していなかったのである。

小便と大便では、どちらが我慢できるか。多くの読者はあまりこのようなことを考えたことがないであろうから、イザという時のために私の話を聞いておくべきである。

私の経験から言えば、我慢が効くのは間違いなく大便である。苦痛は大きいが、進行の度合いが遅い。このため、ビチグソ（ゲリの業界用語）でもない限り、かなり我慢できるのである。しかも耐えているうちに止まることもある。

これに比べ、小便は溜まっていくのが速いので、どんどん辛くなっていく。したがって時間の経過に比例して苦痛は増大していき、我慢が効かないのである。

「ちょっと……、小便が……」

具合の悪いことに二人の記者は私より先輩であった。

「我慢しろ！」

玄関を見詰めたまま、K記者は低い声で私に命じた。

「し、しかし……」

「バカヤロー！　今出てきたらどうすんだ！」

「ハ、ハ、ハイ……」

冷や汗がタラーッと頬を流れ落ちていった。だんだん腹も痛くなってきた。早く出てきてくれ、頼むから――。呼吸の度《たび》に下腹部に鈍痛が来る。もう、ちょっと下腹部を押されただけで、堰《せき》が切れそうである。

「Kさぁん！　ダメですぅ！　もう辛抱できまっしぇ～ん」

そう訴えても、K記者は玄関を睨《にら》んだままであった。いかん！　もう限界である。

「すぐそこでやりますから、すぐすみますから……」

「しょうがねぇなあ……、じゃあ早くやれ！」

「す、す、すみましぇん」

私はケーブル・レリーズを水田記者に渡し、急いでドアを開けた。そして、ワゴン車のすぐ横に立ち、チャックを降ろした。安堵と解放感が全身に満ち、ジョーッという音とともに下半身に快感が走った、その時なのであった——。

「カシャ、カシャ、カシャ……」

かすかなシャッター音が耳に届いた。ワゴン車のエンジン音に混じっていようと聞き違うハズもない。秒間三・五コマ、愛機キャノンF—1（当時）のモーターが回る音ではないか！

角投手と愛人を目の前に放尿が続く

目を足元からマンションの玄関に向けて驚いた。ガラス戸の向こうのエレベーターから降りた長身の男が玄関を出ようとしている。

「シマッタ！　奴だ！　いかん……、すぐに！」

一時休止じゃ！　コラ！　止めるんじゃ！　そう下半身に命じたのだが、止まらんのであった。相変わらず、ジョーッなのであった。溜まりに溜まった液体の圧力は、もはや自分の意志で止めれるものではなかったのである。

「ど、ど、ど……、どないしょう」

私はジョーッという音とともに茫然《ぼうぜん》と立っていた。水田記者がレリーズ・ボタンを押している。カシャ、カシャというシャッター音とジョーッという音とワゴン車のエンジン音が、とてつもなく大きく聞こえる。

次の瞬間、私の目は点になった。あまりの情けなさに縮んでしまったからではない。角選手の後ろにもう一人おったのである。昨日も一昨日も見かけた小柄な若い女が……。

（アッ、あの女やったんか！）

それでもまだ終わらんのであった。これが人間の体から出る量であろうか。こんな量が腹の中に溜まっていたのであろうか。二人はマンションの駐車場に停めてあったスバル・レオーネに乗り込んだというのに、まだジョーッが続いていた。

膀胱《ぼうこう》からすべての液体が流れ出たのは、レオーネが走り去ってしばらくしてからであった。私は縮んだ不肖の息子を収納し、力なくワゴン車のスライド・ドアを開けた。薄暗く感じる車内で二人がニタニタ笑っていた。

「おい！　ちゃんと水、流して、手ェ洗ったかぁ？」

世に住宅はいくらでもある。有名人がハチ合わせする確率は相当低いはずなのに、どういう訳か、同じマンションということが多い。左=角投手、下=チャゲ。

K記者はご親切に聞くのであった。

「イーッヒッヒ！　二人とも、もう、バッチリ！」

水田記者がレリーズ・ボタンをポーンと私にほおった。

私は無言のまま撮影機材を点検し、ファインダーを覗いた。カメラは三脚にしっかり据え付けられており、アングルもピントも、私が車から降りる前と寸分《すんぶん》違っていなかった。

あのタイミングなら、まず問題なくツーショットが収められているであろう。

フィルムの残量カウンターを見るとゼロになってモーターが止まっていた。三六枚、撮り切っていたのである。

もはや情報提供者に顔ワリしてもらうまでもなかった。この日の写真が数日後のフライデーの誌面を飾った。「PHOTO　宮嶋茂樹」というクレジットが入れられて――。

私が三脚を据え、キャノンF―1を取り付けたのである。

私がアングルを定め、露出を計ったのである。

私がシャッター・スピードを決め、ケーブル・レリーズを取り付けたのである。

私が……。

だから、私のクレジットで何ら問題はない。人は「撮れたんだから、いいじゃないの」

と言うであろう。だが、違うのである。決定的場面でシャッターを押すとき、カメラマンの体にはアドレナリンが駆け巡るのである。快感が走るのである。

その得られるべき快感が、放尿の快感に取って代わられてしまったのであった。

愛人マンションの王様

その後、角投手は巨人から日本ハムにトレードされ、さらにその後、現役を引退し、野球評論家になった。我々の写真のせいかどうかはわからないが、この博多の女性とは別れたという。

一仕事片付いたところで、我々は、あのチャゲとかハゲとかいう若い男のことを思い出した。聞けば、けっこう知られたミュージシャンなのだという。

記者が調べたところ、写っていた男は間違いなくチャゲで、これまた女と同棲していた。女の写真も、あの張り込みでしっかり撮れていた。こういうのを一粒で二度おいしいというのであろう。タナボタであった。

しかし、チャゲの写真も女の写真も、角投手の写真とまったく同じ構図である。そのまま使ったのでは貧乏くさいので、しばらくしてからトリミングを変えて掲載された。

この弦巻のマンションは、インラン愛人マンションとでも呼ぶべき建物で、他にもソレ風の女が何人か出入りしいてた。人目を憚《はばか》る方たちの愛の巣として、格好の何かを備えているのであろうか。

都内には、こうしたマンションがいくつもあり、写真誌の記者たちはネタに困ると巡回してチェックを入れる。

最も凄かったのは、作家の林真理子さんが独身時代に住んでいた南麻布のマンションである。彼女が婚約するというので、マンション前に車を停めて待っていたら、偶然、プロゴルファーの倉本が出入りしているのを見かけた。林さんの取材が終わり、次は倉本を撮っちゃえと張り込んでいたら、近くに女優のかわいかずみ（故人。合掌）が現われた。もう、イモヅルであった。

同じマンションで三つも撮れてラッキー！　と思っていたら、しばらくして巨人の定岡投手（当時）が赤いフェラーリでこのマンションを訪ねて来ていた。一ヵ所で四本もネタを提供してくれるとは、愛人マンションの王様である。

撮られてしまった有名人の皆さんは、なんで情報が漏れたのか、わからなかったであろう。もしかしたら、相手の女（男）や家族友人がタレコんだのかと人間不信に陥《おちい》ったこと

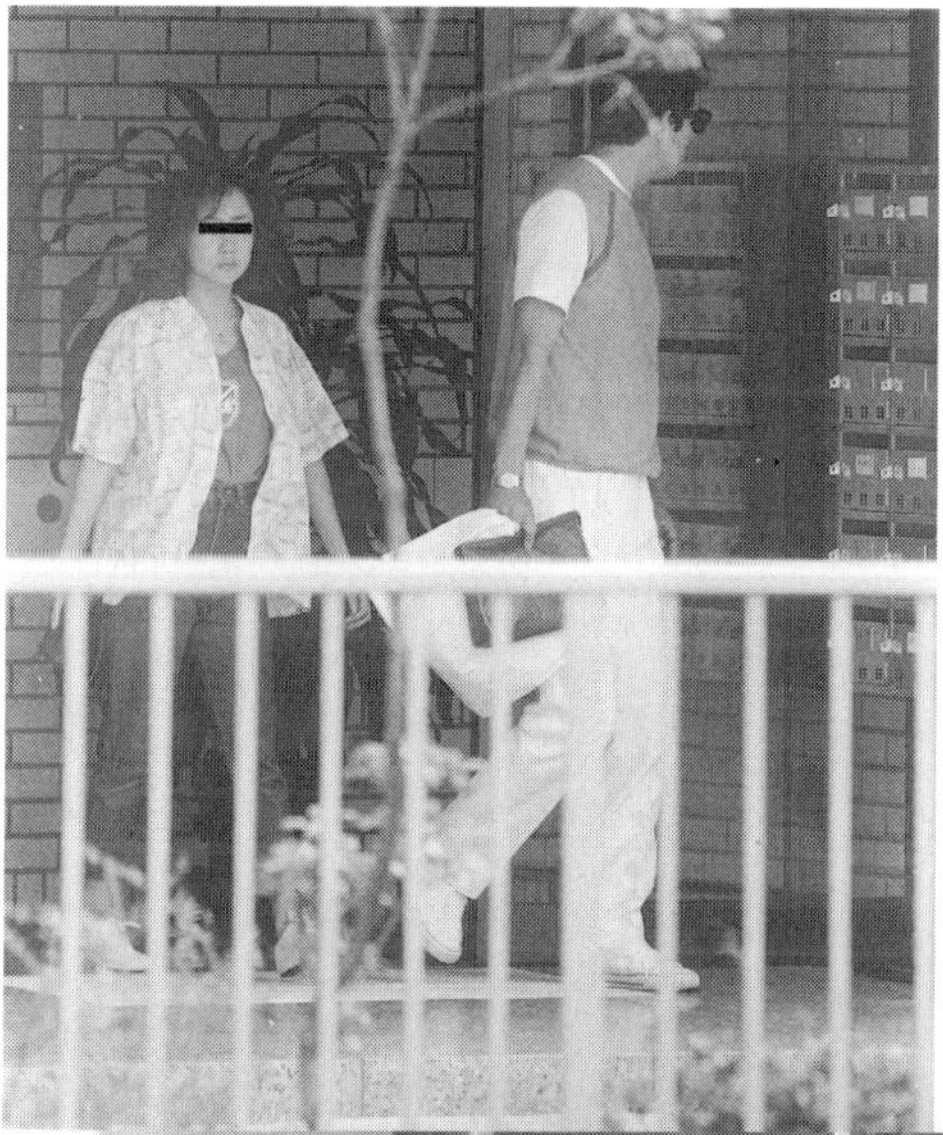

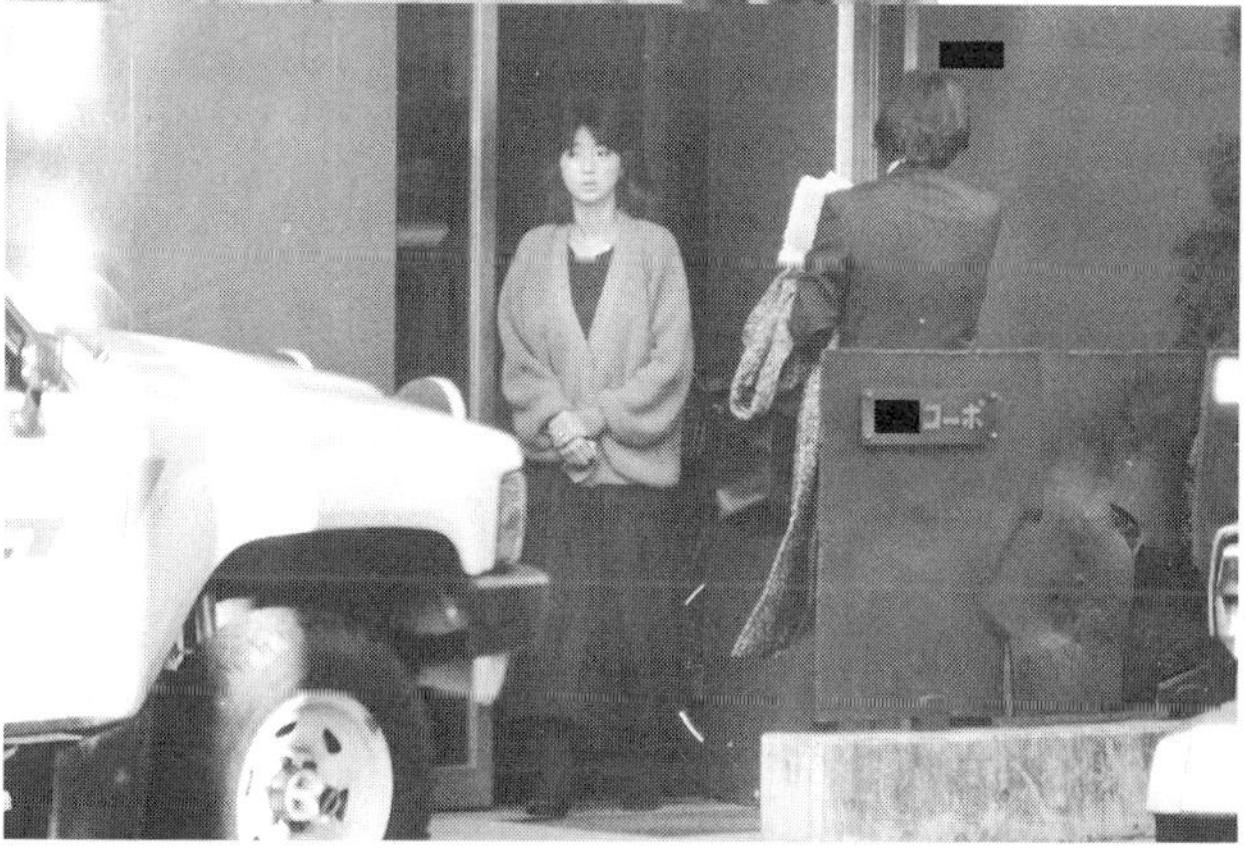

左＝女性と一緒に現われた角投手。張り込み三日目でこんな写真が撮れることはめったにない。下＝林真理子さんが住んでいたマンションの近くで撮れた女優かわいかずみ。

であろう。

しかし、世の中には神様のイタズラとしか思えない偶然がけっこう多いのである。撮られてしまったら、ネタもとを詮索《せんさく》するようなことはしないほうがいい。神様の警告だと思って諦めなさい。それがキズを大きくしないコツである。

2、モリモリ・ハネムーンを急襲せよ！

――森進一・森昌子の熱海温泉旅行を強撮

芸能人にプライバシーなんぞ存在しない

このところ、週刊誌やテレビの取材を拒否する芸能人が増えている。プライバシーだ、肖像権だと大仰《おおぎょう》に喚《わめ》いて逃げ回るのである。

売り出すときにさんざんプライバシーの切り売りをしているのに、いまさら何を言うのであろう。当人は賢いつもりなのだろうが、馬鹿なことを言ってはいけない。芸能人にプライバシーなんぞ存在しないのである。

最近のバラエティー番組を見てみるといい。「お宅拝見」「キッチン拝見」などはカワイイほうである。結婚式は売るワ、日記は公表するワ、とどまるところがない。かのダウンタウンに至っては相棒のクソの大きさや臭いまでネタにしている。

そんな連中にプライバシーなんぞ、要《い》らんのである。引退したところで同じである。都合でやめます、カタギになりました、そっとしておいてください——などと言っても、日本人一億二千万は納得しないのである。

山口百恵は三浦友和と結婚し、原節子のようにスッパリ足を洗い、主婦におさまった。あの霊南坂教会の結婚式（昭和五十五年）後、取材拒否である。長男誕生の時、やむえず記者会見に応じたのが唯一の例外であった。しかし、取材を拒否しても、長男の運動会に出てきたところなどをカメラマンに狙われるのである。

のちに統一教会にズッポリはまり、なんやワケのわからん統一教会員と結婚した桜田淳子も、今は幸せそうに主婦をしているが、これもマスコミは放っておくわけにはいかない。節目節目で写真を撮られる。あるいは統一教会が何かすれば引っ張り出されるであろう。人に見られることとイコール人気なのである。彼らのファッションや発言、一挙手一投足が世の中に多大な影響を与えている。その人気でCMに出演し、それを見た若者がその商品を買う。そういう世界でカネを稼いだ以上、途中下車は許されないのである。

道を歩いているだけでジロジロ見られ、うざったいのにサインを求められる。一度、その世界に足を踏み込んだら、一生、人の目から逃《のが》れられない。解放されるのは、誰も見向きもしなくなったときか、死んだときであろう。芸能界なんぞというヤクザな世界に入ってよいのは、一生、追い駆け回される覚悟をした者だけである。

「引退します」は、信用しないのが良識

山口百恵、桜田淳子と並んで「花の中三トリオ」に森昌子という歌手がいた。私は「せんせい」くらいしか記憶にないが、演歌の世界ではかなり知られたジジイキラーであっ

た。その森昌子が、山口百恵に遅れること六年、とうとう白無垢《しろむく》に袖を通す日がやってきた。昭和六十一年十月のことである。

相手はこれまた演歌歌手で同じ苗字の森進一。彼は有名である。「おふくろさん」とか「襟裳岬《えりもみさき》」とかヒット曲の二つ三つは私でも知っている。

森昌子は、その性格からして山口百恵のようにマジで芸能界から引退すると言われていた。その最後のステージが紅白歌合戦。森進一とデュエットをするという話題もあって、この年の紅白は一応モリあがっていた。

駆け出しだった私はリハーサルの取材に行ったものである。本番の取材は失敗なきようベテランの先輩カメラマンが行った。かくして昭和六十一年の大晦日を最後に、森昌子はブラウン管から姿を消したのであった。

しかし、そんなことで芸能人生活の幕が引けると思ってはいけない。年が明けて結婚引退騒動のホトボリが冷めた頃である。森・森がハネムーンに行くという情報がフライデー編集部に入ってきた。天下の大歌手同士のカップルである。ハネムーンは豪華にクイーン・エリザベスで世界一周かと思ったら、あにはからんや、亭主の仕事の都合で熱海一泊だという。しかもお忍びで、という話であった。

森昌子は足を洗ってシャバに戻った、もう普通の人だから、そっとしておいてあげるべきだ、などと考えたら、カメラマンという商売は成り立たない。読者はカタギになった森昌子の姿こそ見たいのである。

それにキャンディーズを忘れてはいけない。「普通の女の子に戻りたい！」などと名セリフを残して引退したが、芸能界のアマーイ水は忘れられなかった。恥も外聞もなく舞い戻り、今だにブラウン管に登場する。ピンク・レディーも同じである。あっ、ピンク・レディーは解散しただけやった。ともかく、大袈裟に引退しておきながら、堂々とカムバックした芸能人なんぞ、数え上げたらキリがない。彼らの「引退します」なんて、信用しないのが良識というものであろう。

難攻不落のナバロンの要塞

早速、森・森ハネムーンの取材メンバーが召集された。カメラマンは後藤氏（後に本当に引退してアメリカ移民となった）と私、記者は小泉記者（後にTV業界にトラバーユ）と関口記者。超望遠レンズから無線機まで揃《そろ》えた我々四名は、正月の深夜、小泉記者の愛車カローラ・レビンとレンタカーのワゴンに分乗し、熱海へと向かった。折から帝都は雨。東名を走る二台の車のフロント・ガラスを大粒の雨が激しく叩いていた。

二人の潜伏先は当然わかっていた。あの毒々しい熱海のネオン街から少し西にはずれた「赤根」という超豪華温泉旅館。有名作家や政治家などが贔屓《ひいき》にしているVIP旅館で、一泊一〇万円以上という噂であった。

私一人でも同じ宿に入れば、こんな楽な取材はない。隙《すき》を見て二人に記念写真を迫ってオシマイである。あとは温泉に入って、経費で豪華な食事をしてくれればよい。チャンスが摑めないようなら、仲居にカネを握らせるという奥の手もある。それもダメそうなら、中の状況を無線で外に知らせ、旅館を出るところを急襲することもできるのである。

しかし、その旅館に空き部屋はなかった。本当に空いていないのか、あっても気を利かせて断っているのか、それはわからんが、ともかく部屋はなかった。部屋を取れないまま潜入という手もあるが、相手はバリバリの高級旅館、しかもVIP森・森の滞在中である。強引に潜入するのは自殺行為であろう。やっぱり無理やから、帰ろ帰ろ——。という訳にはいかない。ガキの使いではない。無理を何とかするのが仕事である。

中に入れない以上、外から覗ける場所を探すしかないのだが、この旅館は海に面した断崖絶壁に建っていた。天然の地の利を活かした造りで、外部からの侵入を阻《はば》んでいる。文字通り、難攻不落のナバロンの要塞《ようさい》みたいなゴッツイ旅館なのであった。

午前一時頃、熱海に着いた我々は早速、旅館のまわりをロケハンした。しかし、雨降りの真冬の一時である。真っ暗で何も見えなかった。とりあえず豪華旅館の隣のシケた温泉ホテルにチェックインした。

深夜、予約もしていない男の四人組が二台の車で現われたのである。どう見ても不審ではないか。しかし、まったくノーマークである。そんなことを考えていては商売にならんのであろう、何の疑いもなく受け入れてくださった。

軽く仮眠を取って、空が白み始めた頃に活動開始。まずはこのホテルの中である。隣の豪華旅館が覗けるポイントがあればラッキーである。四人で手分けして、ホテル内を隈《くま》なく捜したが、まったくダメ。

豪華旅館は断崖にへばりついているうえ、鬱蒼《うっそう》とした森にすっぽり隠れていた。しかも出入口は車一台通れる一本道だけなのである。

「うーん！　完璧やな！」

敵ながらアッパレな防衛線である。我々はとりあえず二台の車を旅館の入口に通じる一般道に停めて張り込みに入った。出入口はここしかないからである。

外はドシャ降りの雨。冷たい冷たい雨であった。松田聖子の時といい、結婚に関係する取材はなぜか雨が多い。空と同じように、こっちの気分までがすっかり真っ暗であった。これでは、二人が中にいるのかどうかも確認できない。

森の中に誰かいる！

しかし、張り込みを開始してすぐに一台の白い車に気付いた。我々より先に一台の乗用車が停まっていたのである。車内には誰もいない。しかし、明らかに不自然である。

「何やろ、あれ？」

「お忍び警備のＰＣ（パトカー）やろか？」

「いや、ＰＣが無人のわけない」

二言三言、言葉を交わした我々はすぐに結論に達した。同業なのである。旅館の防衛線だけでも苦戦しているのに、同業者が来ているとは最悪である。もし、同業者が撮れて、我々が撮れなかったら……。アホ！　バカ！　マヌケ！　カス！　恥さらし！　あらゆる罵詈雑言《ばりぞうごん》が投げ付けられるに違いないのである。これは大変なことになってきた。

しかし、無人なのはどうしてや？　我々は周囲を見回した。

「どっかにおるド！　どっかでこっちを見ているかもしれん！」

スルドい私はピーンと来た。

「ヤツはこの森の奥におる！」

白い乗用車の先にかすかな獣道《けものみち》があった。わずかな踏み跡が森の中へと続いている。

「絶対、この森の中に入っとる！」

「ホンマかいな？　このドシャ降りの中でかぁ？」

三人は怪訝《けげん》な顔をした。

「そうです！　私ならそうする！」

「ほしたら、オマエ、ちょっと偵察に行ってこい！」

二人の記者にケツを叩かれ、私は勢いよくドシャ降りの車外にとび出た。愛機キャノンF―1に三〇〇ミリの望遠レンズと無線機を持って――。

（クソッ！　言い出すんやなかった、トホホホ……。昨夜けロクに寝てなかったのに……。なんでいつもこんな目にばかり遭《あ》うんやろ！）

獣道と言っても、道なんかほとんどない。しかし、下草を掻き分けながら少し踏み入ったところで、人の足跡を発見した。泥濘《ぬかるみ》に足跡が残っていたのである。いつも道を歩く時、何か落ちていないかと下ばかり見て歩いていたクセが役に立った。しかもこのドシャ降りのなかで残っているということは、ほんのちょっと前であろう。できたてのホヤホヤなのである。

（やっぱり誰かおるんや！　クソッ！）

「エーと、足跡発見！　誰かいる模様！」

気付かれないよう、小声で無線を送っているというのに——。

「やかましい！　とっとと誰が何の目的でおるんか、調べて来い！」

車内でヌクヌクとふんぞりかえっている二人の記者は言うのであった。私は奥へと足を進めた。

カサッ（枯れ草を踏む音です）。ポキッ（枯れ枝を踏む音です）。クチャッ（泥濘を踏む音です）。どのくらい進んだであろうか。方向的には旅館に向かって進んでいるハズであった。私は地理の天才である。三半規管にジャイロコンパスとGPS（カーナビについているグローバル・ポジショニング・システム）が内蔵されていると言われているぐらいである。

グッドなアイデアがおます！

ボチボチと思ったその時、鬱蒼とした樹々の間から旅館の建物らしきものが見えた。傾斜がきつくなり、歩行前進が限界になった。私は四つん這いになってさらに進んだ。上着はグレーの雨合羽だったが、ズボンは真っ白な綿パンである。すでにドロドロである。これ、洗濯したら、汚れ、落ちるんやろなぁ……。トホホホッ、とその時であった。

（おった！）

一〇メートル前方に人影発見！

向こうもこっちを見ていた。手には私と同じキャノンの白レンズ（キャノンの大口径望遠レンズはボディが白い）。しかも私の三〇〇ミリよりちょい足の長い五〇〇ミリのＦ４・５、おまけに赤ハチマキ（キャノンの非球面レンズは値段が高価なため、レンズの先に赤いラインが引いてあるのでそう呼ばれていた）である。

（やっぱりプロや！　同業者や！）

（シィッ！）

振り返った同業者が唇に人差指を当てている。私は黙って頷《うなず》いた。見た事もない顔である。しかし、間違いなくプロである。私はさらに匍匐《ほふく》前進し、その見知らぬ男の隣に並んだ。膝立ちして樹々の間を覗くと、かすかに旅館の玄関が見えた。

（やっぱり、ここしかないか！）

「おたくどこ？　こっちはフライデー」

私が同業者の耳元で囁《ささや》くと、彼は私にある女性週刊誌の名を告げた。

（よかったぁ……）

とりあえずフォーカスでなかったのは不幸中の幸いである。この場面で相手がフォーカスだったら、たまらん。お互いに負けるわけにはいかんから、厳しい戦いになってしまう。雨の中で、どっちか凍死するまで意地の張り合いになる。女性誌も同業だが、直接的なライバルではないから、共闘できようというものである。

「ちょっと失礼……、またすぐ来るけど」

私は同業者に言い残して獣道を少し戻った。車内の三人にこの状況を知らせるためである。私が無線で現状を告げると三人は「ウーン……」と唸《うな》った。これで単独スクープがほぼ消え、厄介事が一つ増えたからである。

「ちょっと！　御三方《おさんかた》！　のんびり車で待っている場合やおまへんで！　どないしまんのや！」

「そんな事言うてもなあ……、どうしようもないで」

今度は私がケツを叩く番であった。

「そんな事おまへん！　私にグッドなアイデアがおます！」

「エー、オマエのグッドなアイデアはロクなもんないからなぁ……」

私はすでにドロドロ、ビチョビチョなのである。同じ任務を背負いながら、彼らだけが車内でヌクヌクとしておってよいハズがない。私のスルドい頭脳は、単独スクープを可能にし、なおかつ三人がトホホーッと泣くようなシブい作戦を考え出していた。

海ではパンツも気も弛《ゆる》む

そのシブい作戦とは、この豪華旅館をナバロンの要塞としている、まさにその所以《ゆえん》を逆手に取る見事なものであった。

要塞は要塞なるが故《ゆえ》に致命的な死角を有している。それはズバリ海である！　海には人が住んでいない。だから見られない。これは古今東西変わらぬ真理である。だからヨーロッパの王室はカンヌやモンテカルロの海辺で愛人と乳《ちち》繰り合っているところをパパラッチに撮られる。海ではパンツも気も弛《ゆる》むのである。

しかし一つ問題がある。どうやって海から迫るかである。ベストはネイビー・シールズのようにアクアラングを着けて海中から断崖に取り付き、ザイルを使って攀《よ》じ登るという方法であろう。しかし、今回、それは無理である。季節も天候も最悪だし、そもそも、そのような肉体的能力はない。無理にこれを実行するのは、熱海の海に死ねということであろう。

そこで、死なんために船を使う。熱海の西隣にシケた漁村がある。ドシャ降りで海も荒れているから出漁している船は少なかろう。ヒマをこいている漁師の頬を札束で張り倒し、漁船をチャーターするのである。

このような悪天候こそが急襲を成功させる。それは歴史の証明するところである。賢明な読者は、かの桶狭間《おけはざま》の合戦を想起していることであろう。織田信長は手勢三〇〇〇を率《ひき》い、ドシャ降りの中、桶狭間で休憩中の今川軍三〇〇〇〇を急襲したのであった。

ドシャ降りの海から接近するとは、森・森には思いもよらぬであろう。歌ってばかりで歴史の勉強をしていないはずなのである。

豪華旅館であるから、当然、海がよく見えるところに露天風呂が作られている。まもなく朝メシの時間である。朝メシの前か後に一風呂浴びるのが温泉旅行の定石である。

二人は、当然、素っ裸で露天風呂に入るのである。そして、ハネムーンだからして、そこで一発という展開になるであろう。私ならそうする！

これをかねて用意の超望遠レンズで仕留めるのである。もう完璧ではないか！

三人は私のシブい作戦に感動し、すぐに後藤カメラマンと関口記者が海上部隊として隣の漁村へと車を走らせた。小泉記者は車の出入りを見張るため、同じ位置で待機。私は再び森の奥へと進入したのであった。

「ススメ！　帰って来るんじゃねぇ！」

それから二時間後、無線のイヤホンに船上の関口記者と車中の小泉記者の無線交信が飛び込んできた。海上部隊は漁船をチャーターし、要塞に向かって進軍中なのであった。

「こちら、オエッ……、船……、ゲロゲロ……、オエッ」

「何、言うとんじゃ！　ハッキリしゃべらんかい！」

小泉記者の叱咤《しった》に、関口記者はゲロを飲み込みながら答るのであった。

「こちら、オエッ、旅館からまる見え！　ゲロォー！　明らかに、ゴクッ……不審船、ウッウーッ……てっ、撤退したし……ゲボゲボ」

私は必死に笑いを堪《こら》え、聞き耳を立てていた。

「アホ！　網でも打たんかい！　網がなかったら一本釣りでもやっとれ！　あと二、三時間はなんとしても粘るんじゃ！」

「しかし……ゲロ、今日は漁はしないということで……ゲボッ、網も竿もないんです……、お願いですから……ゲッ、もう限界、ゲロゲロゲー」

この天気である。岩だらけの海はさぞかし大荒れであろう。船に弱い関口記者は、もうカエル状態で泣きを入れているのであった。しかし、そんな言い訳が通る世界ではない。ゲロまみれでのたうちまわっても死ぬわけではない。

「ススメ！　帰って来るんじゃねぇ！」

車で余裕をカマしている小泉記者は撤退を許さんのであった。

一方、後藤カメラマンは揺れなんぞ屁でもなかった。船にむちゃくちゃ強かったのである。関口記者がゲーゲー吐いている横でしっかり望遠レンズのファインダーを覗いていた。しかし、その後藤カメラマンからも泣きが入った。

「えー！　この天気でぇ……カメラ、レンズが波を被って、大変だぁ！　こりゃあ、あと三〇分もいたら（カメラが）動かなくなる。露天風呂らしきものは見えなーい！　これだけ揺れたら望遠レンズでアングルを固定するのは不可能だぁ！　ジャイロ・スタビライザーでもありゃあ、別だがー……」

ジャイロ・スタビライザーというのは、今ではテレビのヘリ取材ですっかりお馴染みだが、ブレをなくすハイテク装置である。当時はむちゃくちゃ高価で、そんなもんを配備している編集部はなかった。

写真週刊誌の世界では、現場のカメラマンの判断は絶対である。結局、海上進攻作戦は打ち切られ、海上部隊二名は再び現場に戻ってきた。

温泉の中で一発やっとるかもしれん

そして時は止まった。私と見知らぬ同業者は雨に打たれながら森に潜《ひそ》み続けていた。

（クッソォ……！　今頃あの二人はあったかい温泉で乳繰りおうとんのやろなあ……。ひょっとしたら温泉の中で一発やっとるかもしれんなあ。もう許せん！）

二人に対する憎しみのような感情がフツフツと沸き上がってきた。彼らは私に危害を加えたわけではない。悪い事をしているわけでもない。それどころか仕事のネタを提供してくれている。したがって、私の感情は理不尽《りふじん》というか、八つ当たりそのものである。森・

森の二人にしてみれば迷惑至極であろう。

しかし、人間はそのような冷静な判断をしない動物なのである。功成り名遂げ、金持ちになった二人がハネムーンで温泉に浸《つ》かっている。幸福の絶頂であろう。それを雨に打たれながら待ち続けているのは、大学を出て間もない若者である。夢と希望に燃えて社会に飛び出したのに、寒さに震えながら泥の中で這《は》い蹲《つくば》っているのである。

この悲惨な身の上に比べ、レンズの向こうにいる連中はどないだ？　少しばかり美人に生まれた、少しばかり歌が上手かった、それだけの理由で、普通の人間には想像もできないほどのカネを持ち、贅沢な暮らしをしているではないか。アイツらがそれほど立派な人間か！　というような左巻きの思考回路を経て憎悪が生まれる。マル対（取材対象者）とカメラマンは太った豚と飢えた狼のようなもので、決して理解し合うことはない。

心理学の世界にストックホルム・シンドロームというのがある。ハイジャックや人質立て籠もり事件の犯人と人質との間に信頼感というか連帯感のようなものが生じるらしいのである。

犯人も人質も、早く交渉を終わらせたい。ところが警察当局は長引かせることによって解決のチャンスを摑もうとする。このため、犯人はもちろん人質も警察当局を憎悪するようになり、同じ感情を抱いた両者の間に、ある種の信頼関係が発生するのである。人質が犯人を信頼するとは、本末転倒だが、立て籠もり時間が長くなると、それが起こるのである。

何でスウェーデンの首都の名が付いているかというと、ストックホルムで起きた銀行強盗事件で、それが最初に見られたからである。驚いたことに、この事件後、犯人と人質の女性は結婚までしてしまったのである。

張り込んでいる人間が尋常に非《あら》ずマル対を憎み始める現象を、音羽付近ではフライデー・シンドロームと呼んでいた。

突入や！　強行取材や－

目が覚めてから何も口に入れてなかった。森の中に四つん這いで潜んでいた。私はもう完全に飢えた狼状態なのであった。しかし、もうしばらくの辛抱である。事前の情報では、二人は今日中に東京へ戻ることになっている。とすれば、昼前にはチェック・アウトするハズである。

しかし、それは二人がこの豪華旅館に泊まっていれば、の話である。我々は二人が本当にこの目の前の建物の中にいることをまだ確認してはいない。来ていないかもしれないのである。

(電話で聞いてみようかな? ちょっと直接取材をかけてみようかな?)

必ずそうした誘惑に駆られる。だが、張り込みに疑心暗鬼は禁物である。少ない情報を信じ、黙ってジッと待つしかないのである。

それはわかっている。わかっているのだが……、何とか確かめたい……。

しかし、やはり待つしかないのである。

ツライ……。

この辛さは張り込んだことのある者にしかわかるまい。

とうとう昼になった。雨は止む気配もない。タバコも喫いたいなぁ……。もう、パンツの中までビチョ濡れである。男だというのに情けないことである。

いったい、旅館の連中は何を考えているのであろう? 早朝から不審な車が三台も入口の道端に停まっているのである。アホでもないかぎり、とっくに気付いているハズである。

(こらぁ……、アカンわ。出んわ。ぼちぼち後藤カメラマンと替わってもらおッ)

と思ったその時であった。無線のイヤホンから小泉記者の声がした。

「でっかいベンツのリムジンが入ったぞ！」

VIP旅館である。ベンツくらいは入って行って当然である。しかし、リムジンに乗る奴はそうはおらんであろう。

（クサイ！）

樹々の間からわずかに玄関の様子が窺《うかが》えた。仲居のババア数人が外に出て来て、キョロキョロしている。外の様子を探っているようだ。ベンツが見えた。

（間違いない！　森・森の車や！）

私の氷の頭脳は一瞬にして次の作戦を練り上げ、実行を決断していた。それがどのような素晴らしいものかは、読み進めていけばわかる。私は無線をひっつかみ、思いっきり声を絞って怒鳴った。

「後藤さん！　突っ込んでくれ！　強行取材や！　カメラ剝《む》き出しで、車のまま中へ入ってくれ！　二人はすぐ出てくるで！」

ここで作戦内容を聞くようでは、現場に出る資格がないというものである。

「了解！　レンタカーで進入する！」

一気に皆の声が緊張した。

(イカン！　ここからではアングルが狭い)

しかし、これ以上前に出れば、仲居のババアに見つかるかもしれん！　上半身はグレーの雨合羽である。ふと下を見ると、ズボンにはまだ白い部分がかなり残っていた。白いといっても真《ま》っ黄《き》っ黄《き》のシミなのだが——。

「エエイ！　ままよ！」

私は足下のドロを掬《すく》い取り、ズボンの白い部分に思い切り擦《す》り込んだ。何が悲しゅうて、この年になってドロ遊びせにゃならんのじゃ！

私は隣で息をひそめている女性誌のカメラマンに向かい、無言のまま前方を指差した。

(オレはさらに前に行くぞ。そっちは勝手にしろ！)

同業者が軽く頷いたのを確認し、私は匍匐《ほふく》前進を開始した。できるだけ音を立てないよう、そしてできるだけ頭を低くし、地面の泥に頬を擦《こす》りながら進んだ。

(見えた！)

後藤カメラマンたちのワゴンも中に入って来た。二人が車を降りたのであろう、バタン、バタンと、車のドアを閉める音が二つ。

（よし！　間に合った！）

小泉記者は道路で待機しているハズである。緊急時に備《そな》えて無線は開けているが、イヤホンは沈黙したままである。しばらくしてかすかに話声が漏れてきたが、内容は一向にわからない。

話声も動きもなくなった。イライラする。じれったい。私は地面に這い蹲ったまま、ジッとしていた。ミミズになったような気分である。首をもたげてチラチラと玄関を窺《うかが》うが、様子は一向にわからん。

静岡県警ＰＣ出動

その時、私の視界の端に赤い光が飛び込んできた。パト・ランプである。ついでに見慣れた白と黒のツートンカラー！　ＰＣである。静岡県警であろう。

（やっぱり間違いなかった。いるのである。しかし、アホやのお……、一一〇番なんか掛けやがって……。そんな事したら、二人が中にいますって教えとるみたいなもんや！）

警察なんぞ、呼んでもムダである。私たちは、まだなぁーんにも悪いことはしていないのである。まぁ、泥だらけで這い蹲っている私が見つかれば、話は別だが、関口記者たちは善良な市民である。

入口からは旅館の私道かもしれないが、用事があるから玄関まで乗り付けただけである。朝からずっと停まっていた所は天下の公道である。運転手が車内におり、他の車の通行のジャマにならないように停まっていた。ＰＣを呼んでも何の役にも立たんのである。それどころか、連中にとっては、これこそが命取りになるのであった。

あとは関口記者と後藤カメラマンの腕次第である。二人がいるのは旅館の敷地内だから、どんなに報道の自由を主張しようとダメである。地主つまり旅館側から「出て行け！」と言われたら、従わざるをえない。警官も「出て行きなさい」と言うであろう。森・森は部屋に引っ込んで玄関には現われないだろう。

しかし！　そこで「ハイそうですか」とすんなり帰ってはいけない。相手に「やけに素直やなあ？　どっかで待ち伏せるつもりやな」と思われる。ここはギリギリまで粘るのである。帰りたくないよぉー、帰ったらターゲットを逃してしまうやないか……とダダをコネまくるのである。

もちろん、それで警察が森・森を引っ張り出してくれるなんてことはない。「不法侵入でパクるぞ」と脅《おど》すであろう。しかし、そのぐらいではパクらないから、さんざん悪態をつく。その上でシブシブ引き上げるのである。

「しゃあないなぁ……、ここはおまわりさんの顔を立てて帰りまっさ！　せやけど、歩外に出たら自由でっせ！　我々も黙ってまへんで！」

実際、関口記者と後藤カメラマンはそう言って引き上げたのであった。

白いレンタカーのワゴンが玄関前をゆっくりUターンしていくのが見えた。こうなると相手はホッとする。仲居のババアと警官がなんや話している。

「さあさあ……、邪魔者はいなくなりましたよ、もう安心ですよ」

「どうもありがとうございました。お手数をかけてすいません」

そうなるのが人間である。これで一件落着だと思う。よほど用心深いヤツでないかぎり、目の前の森にもう一人カメラマンが潜《ひそ》んでいるとは思わないのである。

やがて警官はPCに乗り込み、赤色灯を回して帰って行った。玄関に残ったのはベンツのリムジンと仲居のババアたちだけ。間違いない。こんなわかりやすい状況もめずらしい。もう「今から二人は出てきますよ！」と教えてくれているようなものである。

さあ、いよいよ私の出番である。よっこいしょと、私は三〇〇ミリのレンズを抱えた。樹々の間のわずかな隙間に全身ドロだらけのカメラマンが伏せているなんて、想像もしていないであろう。後は待つだけである。

「結婚するまでバックはダメ」

それにしてもセコい！　森進一も森昌子も押しも押されもせぬ大スターではないか。これまでメディアに扱われることでのし上がってきたのである。ほんのちょっと前まで、夫婦そろってブラウン管に出まくっていたではないか。

いくら二人だけのハネムーンといったって、我々にバレてしまったもんはしょうがないではないか。別に悪いことをしたわけではないのである。オメデタイというのに、何をビビっているのであろう。私なら、こんなやり方はしない。

「ナニィ？　週刊誌に嗅《か》ぎつけられたあ？　しょうがない！　写真なら撮らしたるワ。少しだけなら話もしようやないか！」

そう言って旅館の中に呼んでやる。

「雨の中、大変やねぇ。まぁ、温かいもんでも飲んで！」

コーヒーくらいは出してやって、太ッ腹に取材に応じるであろう。

「初夜はいかがでしたか？」

などという不埒《ふらち》な質問にも、詳しく答えてやるというもんである。ちなみに私と前妻の名目上の初夜は披露宴をした八重洲富士屋ホテルのスイート・ルームであった。「結婚するまでバックはダメ」と言っていた前妻と初めてバックでやったもんである。

大スターなのだから、それくらいのことは有名税だと思ってしゃべってやらねばいかん。それを逃げ回るから、お互いに面倒なことになる。

心なしか雨も小降りになり、薄日まで射《さ》してきた。仲居のババアが再び玄関に出てきて、あたりをキョロキョロしている。関口記者と後藤カメラマンのおかげで、完全に安心しきっている。

「バフッ！」

ベンツの密封コンパートメントの後部ドアが開けられ、空気が外気に漏れる音がした。

（ヘッヘッヘッヘ……。いただきや！）

レンズのヘリコイドをゆっくりゆっくり微調整した。アングルではベンツの屋根の向こうに玄関が見える。

（出た！）

カーディガン姿の森進一が視界に入った。後ろにメタルフレームの眼鏡をかけた森昌子が続いている。二人は、送りに出ていた旅館の人々ににこやかな笑いを振りまきながら、ベンツの後部座席に姿を消した。

そして五〇〇〇CCの大排気量の低いエンジン音とともに、ベンツのリムジンは雨の中に消えていった。その間、私の右手の人差指が愛機キャノンF―1のシャッターを押し続けていたことは言うまでもない。

「アーアッ、終わった、終わった！　お互い、長い間、ごくろうさんでしたな……。帰りまひょかぁ……」

ようやく声を出して、女性誌のカメラマンと挨拶を交わし、我々は深い森を踏み分けて道路へとに戻った。同業者はポケットから車のキーを取り出し、停めていた白い車に乗り込んで、バルルルンとエンジンをかけた。そして、何処《どこ》ぞへ消えた。

「さぁーてとぉ……」

正気に戻った私は、ここで大変な事に気付いた。車がないのである。小泉記者のレビンもレンタカーのワゴンも停まっていないのである。冷静に考えれば当たり前であった。二台は森・森のリムジンを追っていったのである。

カメラマンや記者は猟犬のようなもんである。目の前を獲物が駆けていれば、前後の見

新婚旅行の一泊を終えた森夫妻。上の写真に白い横線が入っているのは、雨でフィルムの乳剤が流れたため。不肖・宮嶋の奮闘ぶりが偲ばれる。

境なく追うであろう。私が撮ったことを確認していれば別だが、連絡するヒマなんてなかった。私と女性誌のカメラマンが「ごくろうさんでしたな……」と言っているとき、小泉記者たちは追跡を始めていたのであった。

「おい！　応答せえ！　迎えに来んかい！」

無線機を怒鳴りつけても、ガーッという返事しか帰ってこないのであった。どう考えても二台とも相当遠くまで走ってしまったであろう。

「このカッコで……、どないせえちゅうんじゃあ！」

私はシゲシゲとオノレの姿を見下ろした。頭のテッペンから爪先まで泥まみれである。まるで肥溜めにでも落ちたみたいである。

「ど、ど、どないしょ？」

カメラと望遠レンズを抱え、茫然と立ち尽くす私を、再び冷たい雨が打ち続けるのであった。

土方カメラマンの由来

おらんもんはしょうがない。私は下を向いてトボトボと歩き、早朝チェック・アウトした温泉ホテルに戻った。

「今朝チェック・アウトした者だけど……」

いくらアバウトな温泉ホテルとは言え、ババアの仲居は私の姿を一目見て絶句した。

「ハ、ハイッ！　何があったんですか？　何か事故でも……」

「まあ、そんなとこや！　入浴料払うから、温泉に入れてくれ！」

とりあえず、寒くてしょうがないのである。

「は、は、はあ……、ちょっとお待ちください、し、し、支配にーん！」

ピューと奥へ走り去ってしまった。誰が見ても不審であろう。真夜中に男だけでチェック・インしたかと思うと、風呂にも入らず、朝メシ前にチェック・アウトしたのである。そして、その日の昼頃に一人だけ、泥まみれで戻って来たのである。残りの三人を殺して埋めてきたと考えるのが自然であろう。

そして一〇分後、私は熱海の海を眺めながら温泉に浸かっていた。一仕事終えた解放感と任務を果たした充実感を全身で感じていた。かじかんでいた指先がジンジンしてきた、そのとき、私は再び正気に戻り、大変なことに気付いた。着替えがないのである。

シャツも、トレーナーも、ズボンも、ズブ濡れ、泥だらけなのであった。一〇分前の体なら着ていられたが、今はもうホカホカ、スベスベなのである。無事と言えるのはグレーのカッパ上下だけではないか。

私は覚悟を決め、泥だらけの衣類をゴミ袋に詰めた。そして濡れた下着の上にグレーのカッパ上下を着け、その姿のままタクシーと新幹線を乗り継いで編集部に帰った。ミジメな格好であった。しかし、撮ったから勝ちである。

こんなときくらい、充分な手当があっていいだろうと、白の綿パンの請求書をデスクに回してみた。

敵に発見されないように、わざわざ泥を擦り込んだのである。コーヒーをこぼして作ったシミとは訳が違う。いわば努力の結晶たるシミなのである。しかし、ハンコを捺《お》す方は、そのような深い意味を理解されないのであった。「こんなもん、ダーメ!」と言うのであった。

不肖・宮嶋、ニッカボッカで現場に出掛けることがあるので、最近は土方カメラマンとして知られるようになってしまった。しかし、それは奇を衒《てら》っているからではない。かくのごとき歴史が存在するからなのである。

3、カンガルーでごめん

——東大を信じた私がアホでした

見映えはしないが、中身はとびきり

昭和六十年の秋も深まったころ、フライデー編集部に一つの噂が流れていた。専属カメラマンを順番で海外取材に行かせるというのである。今でこそ国際報道写真家として地球を駆け巡る私だが、当時は張り込みばっかしの駆け出しカメラマンであった。それが社費で海外へ行けるなんて……、私はカメラマンになって本当によかったとシミジミ思い、ありがたさに涙を流した。

とはいっても、やはり年功序列である。創刊当初、フライデーには専属カメラマンが七人しかおらず、我々は「七人の侍」と呼ばれていたが、私はその中で最年少であった。ペーペーの私がすぐにバンバン行ける訳はない。しかし、順番なら、いずれは行けるのである。張り込みばっかしの真っ暗な日々に一条の光が射してきた思いで、ウキウキしながら編集部に通っていた。

まずは、長谷川美子カメラマンがハワイに派遣された。長谷川さんは、私の尊敬する数少ない日本人女性カメラマンであった。「……であった」というのは、今は尊敬していないからではない。もう会いたくても会えないのである。昭和の終わり頃にチベットで行方不明となり、現在に至っている。

ほんとうに素晴らしい人であった。外国には、マーガレット・バーク・ホワイトとか、メアリー・エレン・マークなど、私が尊敬する女性カメラマンは何人もいる。それにひきかえ、日本の女性カメラマンは、突っ張らかっただけの女が多い。

そのくせ、大手出版社や新聞社の記者といつの間にか結婚してしまう。ミスコンの女王や女優が片手間にカメラを握って写真集まで出したり、実力もないのにちょっと美人だというだけで話題になったり、有名写真家の愛人になったりしてしまうカス女が多い世界なのである。しかも、そういう女に限ってコマーシャルの世界である。3Kと言われる報道カメラマンをバッタ・カメラマン扱いする。

そんな中で、長谷川さんは本当に腕のいいカメラマンであった。小柄で地味で見映《みば》えはしないが、中身はとびきりのいい女だった。

彼女がフライデーにいたとき、カメラマンの溜り場や暗室は常にきれいに保たれていた。食器や灰皿はピカピカで、仮眠用のベッドの毛布はきちんとたたまれていた。そのうえ、私のような新米カメラマンにも、礼儀から写真のテクニックまできちんと教えてくれた。

仕事はシビアであった。入院中の川上哲治を病院のベランダから撮った写真はあまりに有名である。危険な取材や、女しか入れない潜入取材にも積極的であった。そして、空いた時間には、マラソンの増田明美（現在、スポーツ評論家）を撮り続けていた。

その長谷川さんが、はたしてハワイで何を取材していたのか。これは、今日でもフライデー編集部七不思議の一つと言われている。ハワイから帰ってきたばかりの彼女は「仕留めたわ」と喜んでいたものである。だから、かなり難しい張り込みを成功させたらしいことはわかった。そのうちページになるのだろうと期待していたが、待てど暮らせど写真は載らなかった。たぶん、高レベルでの政治的な取引きによってボツになったのであろう。一部では江副浩正を撮ったと囁《ささや》かれていたが、今となってはわからない。

カメラマンにあるまじき不心得

さて、海外出張の話に戻ろう。年功序列ということで、長谷川さんの次は池田栄次カメラマンだろうと言われていた。どんどん行ってもらわないと、ペーペーの私に順番が廻ってこない。早くしないとジジイになってしまうではないかとヤキモキしていた十二月のある日のこと。編集部の野口氏から声が掛かった。

「宮嶋君、パスポート持っとる?」

「ええ、持ってますけど」

有効なパスポートを常に持っているのは、報道カメラマンとして当然の心得である。大阪出身の野口氏は大阪弁で話を続けた。

「オーストラリアに行けへんか？」

「それ、仕事ですか？」

「もちろんやがな！」

おお、ついに大命下る。私の実力が年功序列を打ち砕《くだ》いたのであろうか。

「しかし、順番からいくと、栄次さんとちゃうんですか？」

「そやがな、ところが栄次さんも賢二さん（池田賢二カメラマンのこと、現在はカタギの商売をしている）も、今パスポート持ってへんのや」

「い、いつからでっか？」

「来週からや」

「行きます。行かせてください。不肖・宮嶋、命に代えても、仕留めてきます！」

このとき、私は迂闊《うかつ》にも一体「何を」撮るのかを聞かなかった。まったく考えなかったと言ったほうが正確かもしれん。「いつ」「どこへ」行けるかだけが知りたかったのである。思えばカメラマンにあるまじき不心得が不幸の始まりであった。

オーストラリアへ毎日何便もＪＡＬやＡＮＡが飛んでいる時代ではなかった。カンタス航空が週二便飛んでいるだけ。切符もむちゃくちゃ高かった。したがってミーハーな新婚が日本の恥を晒《さら》しまくっていることもなかった。めったに行けないところだったのである。

しばらくして、コーフンがおさまった私は、あらためて野口さんに聞いた。

「ところで、何を撮るんでっか?」

「スイセイが来るんじゃ」

「水兵?」

「アホ!　彗星じゃ!」

「帝国海軍の誇る艦上爆撃機ですね!　オーストラリアの原野に不時着したのが見つかったのですか?」

「フツーの人間やったら、彗星いうたら星のことと思うやろ、アホ!」

ハレー彗星なのであった。七六年に一度地球に接近する大彗星がちょうどやって来ているというのであった。野口氏によると、日本ではほとんど見えないが、南半球のオーストラリアではよく見えるらしい。最も接近するのは六十一年の三月で、それに向けてNECがスポンサーとなり、広告代理店の博報堂が仲介をしていろいろな企画が立てられていた。

まず、ニュー・サウス・ウェールズ州にある南半球一といわれる天文台に、東大の天文クラブとか何とかいうサークルの学生を送り込んだ。そして、その近所のクーナバラブランという舌を噛みそうな名前の小さな村にNECの観測村を作ったというのである。

私の仕事の第一は観測の様子を取材することであった。さらに、その村で行なわれるハレー・コメット・クイーン（ハーレクイン・ロマンスではない）・コンテストなどのさまざまなイベントも取材しなければならない。全部で一〇日間くらいの結構忙しい旅である。

しかし、そんなもんは楽勝であろう。どっちも逃げ隠れしないどころか、喜んで撮影に協力してくれるであろう。愛人とシケこんだところを張り込んで撮るのとはワケが違う。ハレー・コメット・クイーン・コンテストなんぞ、ちょっと足りなそうなムチムチプリンの金髪ネェちゃんを撮ればよいのであろう。うれしいことである。そんな楽な仕事でオーストラリアに行けるなんて、絵に描いたようなラッキーではないか。

フライデーからは私のほかに編集の野口氏が参加することになっている。さらに、東大の天文クラブの学生、博報堂のお偉方《えらがた》、NECの関係者も同行するという。こぢんまりとした団体旅行みたいなものである。

当時、交際中だった女（のちに妻、さらにのちに他人）に、この大ラッキー出張のことを話すと、すかさずオパールをねだられた。オーストラリアはオパールの産地なのであった。

初体験は上手くはいかんもんである

気楽な旅のハズであった。ところが、ここで大問題が起きたのである。ハレー彗星をめぐるイベントの取材だと思っていたら、彗星そのものの写真も撮れと言われたのである。最も接近するのは翌年三月だが、望遠鏡を覗けばすでに見えるらしい。

「そんなもん、カメラマンなんだから当たり前やないけ！」

知らん人はそう言うであろう。しかし、ちゃうのである。じぇんじぇん、ちゃうのである。

腹が痛くなったとき、あなたは内科へ行くハズである。眼科や耳鼻科へは行かないであろう。同じ医者だから、まぁ眼科でもいいや、ということにはならんのである。それと同じで、一応、カメラマンにも専門というか、得手不得手《えてふえて》がある。

そもそも、私の世代の人間がカメラマンになるには二つのパターンがあった。一つは鉄道写真で、もう一つが天文写真である。以後の世代は、スーパーカーやアイドル、パンチラなど、オタク化した下賤《げせん》で低俗な世界にハマってしまう。しかし、少なくとも私の世代は鉄道か天文の写真が撮りたくてカメラにのめり込んでいったのである。

読者は、不肖・宮嶋が兵庫県は明石《あかし》の産であることをすでにご存じであろう。明石といえば天文科学館である。子午線《しごせん》である。その東経一三五度の明石の時刻が日本の標準時なのである。

そんな明石に生まれながら、なぜか、私は鉄道写真派であった。当時、廃止されつつあった蒸気機関車を追いかけていた。弁当を持って線路脇の道をチャリンコでひた走りに走っていたのである。故《ゆえ》に、私は天文写真というものを撮ったことがない！

それに対して、野口氏の話に出た池田賢二カメラマンは天文写真出身である。ハレー彗星の撮影なんて、自腹でも行きたいような話であろう。しかしパスポートが切れているために行けないのであった。ブツクサ文句を言っていたが、白業自得である。

あまりにもブーブーうるさいので「七六年後にまた来ますよ！」と言ってやろうかと思

ったが、ここは下手《したて》に出なければならん。なにしろ、私は天文写真のことをナーンも知らんのである。

「いろいろ教えてくださいよぉー」

猫なで声で頼むと、池田カメラマンはうれしそうにレクチャーを始めた。それによると、テクニックのいる天文写真は、超望遠レンズに三脚という単純なものではいけないのだそうな。天文台にあるような超特大の天体望遠鏡にアダプターを付け、一眼レフカメラを固定する。しかも、赤道儀を動かすハイテク機械が必要になるらしい。

そんなもんが用意されているであろうか。私は少しばかりイヤな予感がした。そもそも、来週、星を撮りに行くプロのカメラマンが、そんなことをイチから習っていていいのであろうか。

だいたい、初体験というのは、こうすればいいとわかっていても上手くはいかんもんである。「アソコやな!」と充分すぎる予習をしていても「暗くて見えん!」ということになるのである。不吉な予感が頭をもたげてくるのであった。

しかし、協力している東大の天文クラブに問い合わせると、すでに二名の学生が現地入りしていて、観測を始めているという。なにしろトーダイである。最高の頭脳を持った方々が一緒なのである。そのような方たちの力を借りられるのである。これなら心強い。

私は念のためにいくつか質問をしてみた。

「向こうで現像はできるのですか？」

「現地の村にはラボ（現像所）があり、写真が現地で確認できます」

「E6プロセスのリバーサルも現像できるのですか？」

出版物のカラー写真にはネガ・フィルムは好まれない。リバーサル・フィルム、つまりポジ・フィルムを使う。俗にスライド用フィルムといわれているものである。E6プロセスとは、その現像処理の方法をいう。

「ああ、それなら私もやったことがあります」（確かにこう言った）

東大のオッサンは自信ありげに言うのであった。それなら楽である。写真の露出が正確でなくても、すぐに現像ができればやり直しがきく。現地には何日もいるのだから、次の日にまた露出を変えて写せばいいのである。

「赤道儀はありますか？」

「最新式のが付いてます」

「カメラはキャノンですが、望遠鏡に付けるマウントはどんなものを用意すればいいですか？」

「キャノンのアダプターはありますか」（本当にこう言った）

完璧であろう。そこらのガキやアルバイトのネェちゃんが言うのではない。東大の方がそう言うのである。敵を知り己を知らば百戦危うからず。初体験でもやり直しがきくなら心配ない。

「大丈夫です！　撮れます！」

私は、編集部で胸を張って断言したのであった。

「よっしゃあ！　それじゃ『七六年ぶりのハレー彗星、世界初のカラー撮影に成功！』というタイトルでいこう」

編集部は行く前から成功気分であった。ハレー彗星のカラー写真の横に七六年に一度選ばれるミス・ハレー・コメット・クイーンの笑顔をパチリ。オーストラリアは真夏である。当然、水着であろう。彗星なんぞに興味のない読者にも充分楽しんでいただける。スケジュールはタイトだが、楽な仕事のハズであった。

一様にチチとケツがでかい娘たち

カンタス航空でオーストラリアに飛ぶのは快適であった。これは、別にカンタス航空がエライからではない。日本から真南に飛ぶだけで時差がほとんどないからである。シドニーの空港でレンタカーを借りて走り出すと、ほどなく大草原が広がり、カンガルーが飛び跳ねていた。そして七、八時間が過ぎた頃、われわれは目的地のクーナバラブラン村に着いた。

「到着しました」と言われたとき、私はイヤーな気分に襲われた。とんでもないド田舎だったのである。メイン・ストリートらしき道は、まるで西部劇に出てきそうな雰囲気ではないか。信号機はその通りに一ヵ所だけ。パトカーは一台。映画館もない。ホテルもない。聞けば人口は三三〇〇人だという。

私は素朴な疑問を感じていた。こんなド田舎にE6プロセスのできるラボが本当にあるんだろうか？　普通に考えたら……。

しかし、そんなことを悩んでいる暇《いとま》もなく仕事はスタートした。村役場を表敬訪問したり、天文台長にインタビューしたりと、あわただしくスケジュールを消化していったのである。

そして、今回のメイン・イベント、ハレー・コメット・クイーン・コンテストの会場に向かった。会場といっても村の公民館である。カンガルーを遊ばせておくくらい土地が余っているので、かなり広い。すでに開会の時間になっているのだが、誰もいない。せせこましい日本と違って、オーストラリア時間というものがあるらしい。ましてシドニーから五〇〇キロも離れたド田舎、おっとりしているのだろう。まして、シドニーから五〇〇キロも離れたド田舎、時間の感覚などなくても不思議ではない。雰囲気から察するに、この村には朝、昼、晩という三つの時間しかない。それでも、村人たちが三々五々集まってきた。ところが、肝心のハレー・コメット・クイーンの候補者たちが見当たらない。

「どうしたの?」

近くにいた村人に聞いてみた。

「もう来ているよ」

確かにそう言っているのだが、私にはそれらしい人物の姿が見えない。再びイヤーな予感がした。やがて、村長と思《おぼ》しきオバハンが舞台に上がり、開会の挨拶らしきものをした。

私はこのとき、オーストラリア英語に初めて耳を傾けた。といっても、イギリス英語とアメリカ英語の違いさえ、わからないのだが――。

しかし、そんな私にも、オーストラリア人の英語は不可解なものだとわかった。ハッキリ言って何を言ってるのか、よおわからん。日本語で言うと津軽弁のようなもんなのであろうか。アメリカ人やイギリス人に「グダイ、グダイ」とバカにされるだけのことはある。

察するにオバハンは「今から始めるだ」みたいなことを言い、何の感動もないまま舞台から降りた。終わるまでに一分もかからない挨拶であった。

オバハンに替わってぞろぞろと舞台に上がったのは、そのあたりにいた女の子たちである。全部で一〇人くらい。これがハレー・コメット・クイーンの候補者なのであろうか。一瞬「まさか？」とは思ったが、他にそれらしい者はいないのであった。

自分らではキレイなべべを着ているつもりだろうが、どこかアカ抜けない。シベリアの田舎よりはマシという程度である。それでも、村人の話では各地区のいちばんのきれいどころを集めてきたらしい。みんな一五歳から一七歳くらいだというが、食っているものがいいのだろう、一様にチチとケツがでかい。なかにはダンプ松本みたいなネェちゃんも混じっている。

まあ、どれをとってもパッとしないが、一人二人「あれはマシやで」という娘もいないではない。だが、いかんせん絶対数が少ない。

史上最低のミス・コン

一通りの挨拶を済ますと、みな舞台を下りていった。私はドレスか水着に着替えるのだろうと思い、撮影機器を点検しながら待っていた。ところが、娘たちにはそんな気配がない。全員が一列になって、公民館に集まった村人のまわりを歩き始めたのである。地元のローカル・テレビのオッサンが一生懸命カメラを回している。

娘たちが一周したところで、オバハン村長が何か一言唸《うな》った。するとダンプ松本一人が舞台に上がった。何をするんだろうか。歌でも歌うのかと思っていたら、残りの娘たちがパラパラと散っていく。マ、マサカ……。

その、マサカなのであった。舞台で挨拶し、村人のまわりを一周して終わりなのであった。まだ一枚も撮っていないうちに終わってしまったのである。しかも七六年に一人のハレー・コメット・クイーンがダンプ松本なのである。いかにド田舎とはいえ、仮にもミス・コンなのに、そんなアホなことがあろうか。

不肖・宮嶋、女は金髪ヶバヶバが好みである。これが一般的な好みとは異なっていることを否定するものではない。しかし、である。ここはデブほど美人とされるトンガ王国ではない。下唇がデカかったり、首が長かったりしたほうが美人とされるアフリカの未開国ではない。アボリジニを滅ぼして近代西欧文明を移植した白人の国なのである。むしろ私の好みに近い金髪ヶバヶバ娘がクイーンに選ばれてしかるべきであろう。

これはイカン！　私と野口氏は顔を見合わせた。あまりに幸先《さいさき》が悪い。明日は近所の村からも村人がやってきてパレードするらしいが、主役のハレー・コメット・クイーンがダンプ松本では見たくもない。写真にならん。絶対ダメである。

あとで聞いたところによると、ダンプ松本がハレー・コメット・クイーンに選ばれることは、事前に村の実力者の談合で決まっていたそうだ。容姿や性格ではなく、村の政治的バランスでダンプ松本が選ばれたのである。まるで自民党の総裁選のような史上最低のミス・コンであった。私たちはガックリ肩を落としてモーテルに帰った。

このままでは日本に帰れん！

翌日はハレー彗星祭りということで、クーナバラブラン村は朝から大騒ぎであった。周辺はもちろんのこと、オーストラリア中から人が集まっていた。村のメイン・ストリートは人でごったがえしている。中学生くらいのかわいらしいブラスバンドやバトンガールも集合している。

そんな様子を見ながらブラブラしていると、いきなりオオーッという歓声が上がった。見ると一台のトラックの回りに人だかりができていた。

トラックは荷台を幼稚園の学芸会のように紙テープでデコレーションしている。そして、その荷台の上に、昨夜のダンプ松本嬢が上がったのであった。「ハレー・コメット・クイーン」と書かれたタスキを掛けて——。

「イカン！　こんなことではイカン！」

私は頭を抱えてしゃがみ込んでしまった。しかし、そんなことにはかまわずパレードはメイン・ストリートを出発するのであった。周辺地域から湧いて出たヒマな村人たちの大歓声を浴び、ダンプ松本を乗せたトラックが進む。どうせならダンプカーにするがよかろうに。パレードの後ろには観衆がゾロゾロついていく。

一団が辿り着いたのは、村はずれの広場であった。広場というより、境界のない広大な空き地といったほうが正しい。ここがハレー彗星祭りの会場である。

いよいよ村祭りの様相を呈してきた。取材を予定している「ハレー・コメット・スローイング・コンテスト」や「フロッグ・レーシング」などがここで行なわれることになっている。しかし、どこでやっているのか、まったく気配がない。

広場の中をキョロキョロしていると、一〇人くらいのガキが紙ヒコーキを飛ばしているのが目に入った。私の氷の頭脳はガキどもの紙ヒコーキをハレー彗星に見立てているにちがいないと察知した。

これが「ハレー・コメット・スローイング・コンテスト」なのであった。こんなものをプロのカメラマンに撮れと言うのか。

「イカン！　ますますイカン！」

私は人混みの中を夢遊病者のようにフラフラと歩いていた。

別の場所では、大きなタライのまわりにガキどもが集まってギャーギャー騒いでいた。私はまたイヤーな予感がした。タライの中はいくつかに仕切られている。よく見るとガキどもがザリガニやカエルを競走させていた。私の氷の頭脳は、これが「フロッグ・レーシング」にちがいないと察知した。イカン！　このままでは、日本に帰れん。

カンガルーをあの世へ送った

焦りまくった私は、スポンサーのNECが作ったハレー彗星観測村を取材することにした。とにかく義理だけは立てねばならん。村の中心から車で三〇分くらいのところにある観測村に行くと、東大天文クラブの学生二名がつまらなそうな顔で案内してくれた。

安っぽいプレハブ作りの小屋には、ろくな望遠鏡がないように見えた。それでもパソコンだけはNECの最新のものがずらりと並んでいた。ちょうど近所の高校生が見学に来ていたので義理で撮影した。さすが田舎だけあって、みな純朴そうである。アメリカ人みたいにやたら陽気でなく、遠慮というものを知っていそうで好感が持てた。

それにしても東大の学生はヒマなもんである。この観測村に泊まっているのだとか。夜になると真っ暗で星しか見えないところである。こんなところに最新式のパソコンや観測設備があるとは想像もできない。

一通り内部の撮影を終えたところで外に出てみると、あちこちでカンガルーがたむろしていた。オーストラリアはカンガルーだらけである。レストランでも一度、カンガルー肉のステーキを食った。味はパッとしなかったが、アレを捕まえて食えばいいのなら、食費はタダみたいなもんであろう。それで娘たちのチチとケツがでかくなったに違いない。

（そうだ！　カンガルーだ！）

私と野口氏はほとんど同時にヒラメいていた。

観測村のまわりにたむろするカンガルーを眺《なが》めながら、野口氏が言った。

「このカンガルーどもを入れて観測村を撮るんや！　そうすれば、この観測村がオーストラリアにあるのが一目瞭然やろ。こりゃあシブいぞ！」

ようやく使える写真が撮れそうである。とはいえ、相手は畜生である。しかも野生である。こちらの思いどおりカメラの前にじっと立ってくれるとは思えない。私は観測村の建物から少し離れ、カンガルーがアングルに入るのを待つことにした。

しかし、カメラを構えてからというもの、カンガルーどもは観測村に近付く気配すら見せない。増え過ぎたためにときどき間引きしているというから、いくら動物天国といっても人間を恐れているのであろう。連中も、下手に人間に近付くとアボリジニと同じ運命になりかねないと知っているのである。

「こりゃイカン。本格的に張り込まないと、いつまで経っても撮れんぞ」

野口氏はそう言って、車を持って来た。車だと長時間張り込めるし、人間の気配も勘付かれにくい。不肖・宮嶋、駆け出しとはいえ、すでに多くの有名人を張り込んでいた。だが、よもやオーストラリアでカンガルーを張り込むとは夢にも思わなかった。

ところが、待てど暮らせど、カンガルーは来ないのであった。張り込みにはネバリが肝心である。それは充分にわかっている。しかし、如何《いかん》せん、相手はド畜生なのである。人間様とは頭の仕組みが違うのである。こんな所まで来て、カンガルーごときに振り回されるのはたまらん！

「オレがカンガルーを追い駆け回すから、ここで待ち構えて撮れ！」

野口氏はそう言って森の奥へ消えて行った。そして、しばらくすると声が聞こえた。

「オーイ！　そっちへ行くゾー！」

こちらに向かって追い回しているようであった。しかし、カンガルーは一向に姿を見せない。それはそうであろう。連中は、ああ見えても足が速い。人の足で追い切れるものではないのである。野口氏がいるのは森の中とはいえ、真夏であった。しかも早朝や夜間ではない。真っ昼間なのであった。

（エサでも撒いて、待ったほうがエエんちゃうか？）

そう思い始めた頃、ようやく一匹、姿を現した。そして野口氏と私は交替しながら「オーイ！　そっちへ行くゾー！」を何度も繰り返し、やっと数カット撮ることができた。

上＝七六年に一度のミスコン出場者たち。襷を掛けているのが優勝者。
下＝カンガルーとの追い駆けっこで苦戦する不肖・宮嶋。

この日の夜、私はレンタカーを運転していてカンガルーを尻尾から轢《ひ》いてしまった。けっして張り込みの恨みからではない。突然、道路に飛び出してきたのである。轢き逃げしたので確かではないが、手応えからしてあの世へ行ったであろう。

我が国のエリートの伝統的発想

ハレー彗星祭りの翌日から、私たちの生活は昼夜が逆転した。昼はもっぱらモーテルで寝る。夜になると、おもむろに天文台に行き、ハレー彗星を撮影するのである。

天文台は南半球一というだけあって、おそろしく広い。無数のドームがそこかしこに建っている。空気もかぎりなくきれいで観測にはもってこいであった。車のフロント・ガラスにまで星が映るのである。私は、その後、カンボジアでも、モザンビークでも、ルワンダでも、降るような星空を見たが、オーストラリアには敵《かな》わなかった。まさに星の数ほどの星の数であった。

私が天文台に行くと、いつも東大の天文クラブのオッサンやニィちゃんたちが先に来ていた。いよいよハレー彗星を写さなくてはならない。早速、撮影に取りかかることにした。ラッキーなことにその日は晴れていて、よく見えるという話であった。

「えーと、キャノンのマウントを貸してください」

私は東大のオッサンにそう切り出した。

「あっ、勝手にどうぞ」

勝手に——と言われても、どこにあるのか教えてくれなければ困るではないか。私は少々ムッとして尋ねた。

「あのぉ、マウントがないと撮影どころか、見ることすらでけんのですか？」

「え、マウントって何ですか？」

思ってもみなかった答えであった。この人は知らんのに「勝手にどうぞ」と言ったのであろうか。私はとてつもなくイヤーな予感がした。

「マウントというのは、望遠鏡とカメラのアタッチメントのことですよ。東京でお尋ねしたときには、ここにあるとおっしゃったじゃないですか？」

「ああ、カメラとレンズを固定させるモノですね！」

そう言って彼はノタノタと腰を上げた。そして、私にポンと一巻きのガムテープを渡してくれたのであった。

「まさか、これで貼り付けろというのでは……？」

「ええ、みんなこれでやって写ってますよぉ」

「しかし、何分も露光をかけるうちに、緩んでズレてくるでしょう?」

「大丈夫、大丈夫ですよ」

彼は、私のカメラを取り上げてガムテープをペタペタ貼り付けた。私は目が点になった。

「ああ、このカメラは重いですねぇ。大丈夫かなぁ」

そう言っているうちに、私のキャノンF―1はズルズルと落ち始め、ブラブラ状態になった。最新のパソコンを入れながら、カメラをガムテープで留めようとするのである。いったい、どういう神経なのであろうか。巨大戦艦・大和を作りながら、一方で国民に竹槍突撃を命じるようなもんである。半世紀前のわが国の指導者と同じではないか。

これこそ、東大の伝統なのであろう。しかも天文なんぞに凝《こ》っている人間である。信用した私がアホであった。だいたい東大に入るということからして、ハナから頭が尋常でない連中なのである。まともな人間ではないのである。それが、夜な夜な、ボーッと夜空を見ているのである。正常な神経を維持しているわけがない。もっと早くそのことに気付くべきであった。

しかし、ないモノはない。私は愛機をガムテープでグルグル巻きにし、なんとか望遠鏡に取り付けた。そしてファインダーを覗き込み、無限の彼方《かなた》にピントを合わせてみた。確かに星はたくさん見えるが、いったい、どこがハレー彗星なのかさっぱりわからん。

「あのお……、どれがハレー彗星でっか？」

「さっきからずっと見えてますよ」

「ええっ！　どれがそうなんですか？」

何度聞いても「さっきから見えてる」「いや、ぼくには見えない」の繰り返しであった。まるでハダカの王様である。毎日、星ばっかり見ているうちに彼らの目玉はとんでもない遠視に進化しているのであろうか。頭だけでなく、目玉まで尋常でないのであった。

ただ一つはっきりしている事実があった。これでは絶対にハレー彗星は写らないということである。心霊写真ではないのである。カメラマンに見えないものは写らない。サルでもわかる道理であろう。しかし、東大にはそれがわからないのであった。もうカンガルーよりアホである。

私は気を取り直して尋ねた。

「じゃあ、撮影データを教えてください」

「五分か一〇分くらいじゃないですか？」

「いや、五分と一〇分じゃ、どえらい違いですよ。それに、その時間はＡＳＡ一〇〇のデータですか？」

「ナニ？　それ？　アサっていうのは？」

写真でＡＳＡといえば、フィルム感度に決まっている（現在ではＩＳＯ）。天文写真を撮っていて、それすら知らないのだろうか。このヒトはマウントもＡＳＡも知らずにカメラマンの質問に答えていたのであろうか。

このヒトの辞書に「知らない」という言葉はないのである。自分の頭にあることだけがこの世のすべてで、自分の知らないことはないと思っているのである。

私はしばしハレー彗星のことを忘れ、日本国のために憂《うれ》えた。このような方たちが日本のエリートなのである。日本人一億二千万の指導者になるのである。オトロシイ……。

政治家にはならないかもしれないが、科学技術の研究者くらいにはなるのであろう。そして将来はロケットや人工衛星を作るのであろう。私はどのようなことがあっても、種子島の発射基地の近くにだけは住むまいと誓ったのであった。

一二〇回目のイヤーな予感

真っ暗闇の中、私は東大のアホたちと空を見ているしかなかった。オーストラリアの山奥まで来て、昼はカンガルーの張り込み、夜はボーッと空を見上げるだけ。私はいったい何をしているのであろうか。

しかし、ボーッとしてばかりはいられない。フライデー編集部は「七六年ぶりのハレー彗星、世界初のカラー撮影に成功！」というタイトルを用意して待っているのである。もう東大のアホどもをアテにしてはいられない。もとより、こうした事態は想定済みである。私は気を取り直して次の作戦に移行した。とりあえず、このデータで撮り、すぐにラボに出す。そして写っていなかったらデータを修正して取り直すのである。手間はかかるが、この際、仕方がない。アホどもを相手にしているよりはマシというものである。

翌朝、私はフィルムを持って、東大のアホから聞いた「ラボ」に出向いた。教えられた店に着いて私は絶句した。若くてきれいなネェちゃんがいたからではない。ただのドラッグ・ストアだったのである。白手袋をしたネェちゃんがフィルムや写真をカッターで切っていたが、どう見てもネガカラーを受け付けているだけの店ではないか。私はこの地に来て一二〇回目のイヤーな予感に襲われていた。

「これ、お願い――」

私は恐る恐るフィルムを差し出した。美人のネェちゃんは受け取ってちょっと首を傾《かし》げた。イヤーな予感が的中する気配である。しかし、ネェちゃんは何も言わない。

「いつできるの？」

「夕方」

おおー、ちっちゃく見えるけど、E6プロセス用の大きな現像機がきっと奥にあるのであろう。そう思いたかったが、それがあまりに楽観的憶測であることは自覚していた。

「これ、カラーリバーサルだけど、大丈夫なのね？」

「ええ？　ナニ？　それ？」

この地に来て一二一回目のイヤーな予感であった。

「ナニそれって、アンタいま、夕方できるって言ったじゃない！」

ハレー・コメット・クィーンにしたいくらいのきれいなネェちゃんであった。

「何かよくわからないけど、ここじゃできないからシドニーに送るわ」

「それで、いつできるんじゃ？」

この地に来て一二二回目のイヤーな予感であった。

「一週間くらい」

やっぱりであった。ああ、アボリジニの神々もご照覧あれ。私はもう二度と東大の人間の言うことなど信用しない。

「どアホ！　その頃、ワシは日本で次の張込みでもしとるワイ！」

私は捨てゼリフを残して店を出た。ド田舎の薬屋なのである。ここでE6プロセスができないのは当たり前で、ネェちゃんには何の罪もない。尋常でない頭の持ち主の言葉を信じ、微《かす》かな期待を抱いていた私がアホだったのである。ガックリ肩を落として車に乗る私を、カンガルーがバカにした目つきで見ているのであった。

翌日も翌々日も同じである。ハレー彗星は東大の方々には見え、私には見えないのであった。そして、私は撮影データを変えながら毎晩シャッターを押した。見えないものがフィルムに写る僥倖《ぎょうこう》を願いつつ……。

彗星とオパールとカンガルーと東大は嫌いだ

思えば、東大のアホ以外はいい村であった。村人は素朴で、ネェちゃんはきれいで、しかも日本人がほとんどいなかった。だが、仕事は情けなかった。側《はた》から見れば、撮れて当たり前の仕事である。それなのに、持ち帰るフィルムは撮れているかどうかわからないのであった。

カメラマンにとって、これほどの憂鬱はあろうか。ハレー彗星よ、頼むから地球に激突してくれ！　そして、すべてを消滅させてくれ！　私はカンタス航空の機中でアボリジニの神々にひたすら祈り続けていた。

しかし、ハルマゲドンは起こらんのであった。ああ、蝸牛《かたつむり》、枝に這《は》い、神、天にしろしめす。飛行機は落ちることなく、私の荷物が盗まれることもなく……。東大のアホとの接触がなくなった途端、すべては順調に動き出すのであった。

東京に戻った私は重い足を引きずってラボへ向かった。ハレー彗星のカケラでも写っていないかと期待して——。一本一本感度を変えて現像に出してみた。わざわざ現像の現場にまで立ち会ってみた。しかし、科学は正常であった。な～んにも写っていないのであった。

「七六年ぶりのハレー彗星、世界初のカラー撮影に成功」という快挙のためにページを空けていた編集部がどのようなことになったか、思い出したくもない。罵詈雑言《ばりぞうごん》を浴びせ、私を嗤《わら》い者にするのは、まだ心優しい方たちであった。何も言わず、ジローッと白い目で見る人もいるのであった。

（私は悪くない！　悪いのは東大のアホなんだ！）

声を大にしてそう言いたかった。けれど、結果を一言で言えば「ミヤジマのボケは、オーストラリアまで行っときながら失敗した」ということである。

スポンサーのNECも、仲介した博報堂も、ガッカリであろう。何とも思っていないのは、東大のアホだけである。今日もガムテープでカメラをくっつけているであろう。

苦労して撮った「観測村にカンガルー」の写真もパッとしないという理由でボツになった。ハレー・コメット・クィーンのダンプ松本の写真も当然ボツである。ハレー・コメット・スローイング・コンテストやフロッグ・レーシングの写真も当然ボツである。

結局、ハレー彗星の写真は東京天文台から譲ってもらうことになり、私は白黒写真の複写を受け取りに三鷹の東京天文台まで足を運んだ。フライデーに載ったのは、その写真である。私が撮った写真で使用されたのは、巨大な望遠鏡、そしてパソコンの前にたむろするオーストラリアの高校生たちであった。どちらも何の芸もない、まったく面白くない写真である。

気落ちしながらも、私は交際中だった前妻に約束どおり買ってきたオパールを渡した。

一〇日間のオーストラリア取材で、誰かに喜んでもらえそうなのはこれだけであった。しかし、人間、落ち目のときはとことん落ちるものである。

彼女は受け取る時こそ、うれしそうな顔をしたが、安物だと見抜くと大切にはしなかった。ほどなく私の涙の結晶であるオパールをなくしてしまったのである。以来、私は彗星とカンガルーとオパールが嫌いになり、トーダイが大嫌いになった。

次回、ハレー彗星が地球に接近するとき、私は星になっているであろう。しかし、万一、きんさんぎんさんのように長生きしていたら、最後の力を振り絞って雪辱戦を挑む。アシスタントは、東大ではなく、わが母校日大の天文クラブと陸上部の学生である。

4、三田寛子さまの大学受験

――入試会場にだって潜入しまっせ

ロバは旅に出てもロバである

平成十二年春、広末涼子が早稲田に入学して大騒ぎになったが、芸能人というのは、なぜ、ああも大学に行きたがるのであろうか。広末は下手なりに女優としての地位を確立し、CMにもジャンジャン出てガッポリ儲けているハズである。今更、大学でしょうもない講義を聞くより、足りない芸を磨いたほうがいいと思うのだが、本人はそう は思わんらしい。容貌に頭の中身が釣り合っていないと思われているのが悔しいのであろうか。

しかし、山本夏彦先生も言うように、ロバは旅に出てもロバである。馬になって帰って来るわけではない。芸能界に身を置きながら、大学に行きたがるなんて、自ら本業の中途半端を証明しているようなものである。

今でこそ歌舞伎役者の嫁におさまって、すましているが、むかし三田寛子というタレントがいた。取り立てて何か芸があるわけではなく、丸顔の美形と舌足らずの京都弁がウリであった。タモリと一緒にフジテレビの「笑っていいとも」に出て笑顔を振りまいていた。

その三田寛子が御多分《ごたぶん》に洩れず「大学を受験する」と言い出したときのことである。受験校は明治学院大学だという。ただの明治大学ではないところが、なかなかシブい選択である。賢明である。しかもちゃんと一般の学生と一緒に試験を受けるという。エライ！本当は当たり前なのだが、何かと特別扱いされたがる芸能人が多いなか、一応は誉めてやるべきであろう。

広末なんぞは完全な特別扱いであった。誰が見ても試験なんてホンの申し訳、はじめから合格が約束されていたようなもんで、昔はこういうのを裏口と言ったのである。早稲田も落ちるところまで落ちたと言うべきだろう。

まあ、自民党の総裁、日本国の首相の進退が派閥のボスたちの談合で決められてしまう世の中である。下《しも》おのずから上《かみ》に倣《なら》うで、みーんな、八百長、出来レースを何とも思わなくなってしまった。したがって広末のような怪しい受験をしなかった三田寛子はエライ。しかし、あまり賢くないことに変わりはない。我々の格好のカモになったからである。

入ってしまえば、やりたい放題

というわけで「三田寛子、お受験！」のニュースが伝わった時、不肖・宮嶋にミッションが下ったのであった。もちろんワイドショーや女性誌も駆け付ける。ふだんはハデハデな芸能人がマフラーと学生コートで現われる。ネコを被《かぶ》ってイソイソと校門を入っていく姿だけでもけっこう楽しめる絵柄なのである。

しかし！　この宮嶋が出張《でば》る以上、そんなありふれた写真を撮るわけにはいかん。見た人が「なんじゃあー！　これは！」と驚くようなカットを狙わねばならない。

校門の外はみんなが撮るのである。となると校門の内側しかない。つまり校内に入って の撮影である。試験当日に会場内で取材――そんなことは、大学に問い合わせるまでもなく不可である。印刷所から問題用紙が流出する恐れがあるから、刑務所で印刷するくらいである。どんな大学でも入試のときは本人しか入場できない。たとえ親兄弟、マネージャーでも入試会場には入《はい》れない。ましてマスコミなんて――。

私が大学を受験した時もそうであった。母校・兵庫県の白陵高校では、共通一次試験の会場である神戸商科大学に、先生が三年生全員を引率して行った。しかし、その先生ですら校内に入れなかった。共通一次が始まって第二回目という事でマスコミが取材に来ていたが、やはり映像は校門だけだった。東京で日大芸術学部を受験した時も受験生以外は会場入りできなかった。

どう見ても無理かあ……。やっぱり、入《い》れてはくれんやろなぁ……。

中にさえ入れれば何とかする自信はあるのだが……。

このようなとき、凡人はできない理由ばかりを頭に浮かべ、挙げ句の果てに諦めてしまうであろう。しかし、天才・宮嶋は違うのである。天才であるからして、まったく別の思考回路が動き出すのであった。私が入れないと考える以上、向こうも同じ事を考えているハズである。すなわち、試験会場にまでは入って来ないと思っている。とすれば、出入口でのチェックは厳重だが、一旦、中に入ってしまえば、もうフリーパスであろう。

しかも試験は絶対時間厳守である。平等を期すため、一分遅刻しても会場に入れない。ということは、警備する側に立って考えれば、試験開始時刻までが勝負で、それを過ぎてしまえば、一挙に緊張が緩《ゆる》む。こちらから見れば、やりたい放題ということである。

そして、再び、しかも！　学校が学校である。明治学院！　ＯＢの方には悪いが、関西出身の私には初耳である。警備のレベルは知れていよう。

さらに！　校舎は港区白金なのである。日本で一、二を争う高級住宅街、お上品なことで知られる地域ではないか。街中に暴走族がいるような足立区や江東区であれば、警備は厳しいであろうが、白金の皆さんは乱暴者に慣れていないハズである。

そのうえ！　校内に入ってしまえば彼女は一人である。邪魔するマネージャーはいない。これだけの好条件が揃っているのであった。案外、楽勝かもしれん。なんとか中に入ってしまえば、勝ったも同然ではないか！　私はヤレると確信したのであった。

貧乏くさい受験生に変装して

当時、私は二三歳、大学受験生にしてはちょっと薹《とう》が立っていた。しかし、まぁ、三年も四年も浪人して大学に行きたがるアホもいるのである。同行する田村記者と阿部記者も似たような歳で、それほど問題はない。

試験の当日、私は思いっきり貧乏くさい服で身を包んだ。そして、辞書や大学ノートを適当に集め、ブックベルトで止めた。もちろん筆箱も用意した。知っている人が見れば噴飯ものだろうが、知らない人には立派な受験生・宮嶋の出来上がりであった。

明治学院は白金の八芳園の近所である。桜田通りに細長くへばりついているようなロケーションで、細いバス通りに面して正門がある。車で乗り付けると、すでに報道陣が集まっていた。例によって校門の前にたむろしている。

我々は車で明治学院大の周囲をゆっくりと一周した。潜入ルートを探すためである。すると桜田通りに面した一角に学食があり、そこに職員の通路のような廊下が見えた。そこを通り抜けるとあっさりキャンパスのハズである。学食の職員に誰何《すいか》される心配はゼロである。入試期間中は休校で、学生はいない。学生がいなければ、学食は休みである。私の時もそうであった。

これで潜入ルートは決まりである。タイミングを見計らって、学食の通路を通り抜ければいいのである。

さて、次は本人の確認である。受験生の出入りは場所も時間も制限されている。報道陣が集まっているところをみれば、間違いなく正門から入る。一般受験だから、特別扱いはしないだろう。田村記者一人が正門前に立ち、阿部記者と私は桜田通りに停めた車の中で待機した。

ここで正門前のカットも押さえておこうなどと、しょうもない欲を出していけない。正門前には同業者がいる。カメラマンの私がそこで動けば、学校関係者に顔を覚えられてしまう可能性もある。潜入を企《くわだ》てている以上、目立ってはならないのである。

車の中から見ていると、受験生たちがゾロゾロと正門に流れていく。どうみても入口は正門一ヵ所だけである。ほどなく田村記者が急ぎ足で帰ってきた。

「入った！　白いセーター、スカート。門からしばらく直進した所で見えなくなった。他の報道陣は〝入り〟だけ撮って帰った。彼女は無視」

充分である。あとは潜入のタイミングを待てばいい。午前九時に入学試験がスタートすれば校門は閉鎖される。試験会場となっている各教室も閉鎖される。この時点で構内の警備は一気に緩むであろう。人間、考える事はそう変わらない。この寒空の下、仕事とはいえ、ボーッと立っているのはイヤである。試験が始まり、校門も教室も閉鎖されれば、当面の仕事は終わったも同然であろう。とすれば、警備員だって、あったかい室内で休憩である。九時を過ぎた。普段はにぎやかであろうキャンパスにネコの子一匹見えない。教室では受験生たちが真剣に問題用紙と格闘しているのであろう。

何千人の中から、たった一人を見つけ出す

一科目目の終了時間直前、我々は車を出た。用意したカメラは潜入の友ミノルタのCLE一台だけ。交換レンズは三本。特注のホルスターをベルトに止め、フィルムを装填《そうてん》したカメラとレンズを収めた。上着を着てしまえば、ちょっと太めか着膨《きぶく》れているように見えるだけである。全然目立たない。

「時間だな――」

一科目目が終了した時間である。試験時間終了の合図は各教室の試験官が口頭で行なっ

ているのであろう、チャイムは鳴らなかった。二科目目が始まるまでの休憩時間一五分が勝負である。私たち三人は、学食横からあっさりキャンパスに入った。まだ誰も外には出ていなかった。よく考えたら当たり前である。

私もそうであったが、試験の休憩時間にすべきは、まずトイレに行くことである。大部分が一八、九の未成年だから、外に出て一服なんてのはほとんどいないのである。

それでも、しばらくすると受験生たちは三々五々、外に出てきた。一緒に受験に来た友人を探しているような奴や、物好きにも寒空の空気を吸いに来たらしいのがウロウロし始めた。

さあ、いよいよである。我々は、連絡場所をキャンパス内の広場のベンチに決め、三田寛子の捜索に入った。と言っても私はベンチで待機である。カメラマンの私が動いて、二人の記者と行き違いになってしまっては撮れるものも撮れなくなる。

二人の記者が手分けしてターゲットを探し、発見した時点で私を呼びに来るという手筈《はず》。携帯電話なんぞなかった時代である。あっても試験会場だからダメである。

ちなみに現代の入試では、ポケベルや携帯電話、電子手帳などの持ち込みは不可なんだそうである。外から答えを電話で伝えるハイテク・カンニングが可能だからである。

当然、受験生の途中退室も不可である。問題用紙を持ち出すのも不可である。外に東大生を待機させて答えをハイテクで受験生に送るからである。とんでもない時代になったもんである。

二人の記者が教室に入っていき、私一人がベンチに残った。しかし、冷静に考えたら、かなり無理のある作戦ではないだろうか。休憩時間はわずか一五分である。その間に何十という教室を回り、何千人という受験生の中から、たった一人のターゲットを見つけ出すのである。

一五分で見つからなければ、再び試験が始まって、我々は孤立してしまう。即撤退である。やっぱり無理だろうなあ……、常識で考えたら……。

ところが、人間には想像を絶する識別能力が備《そな》わっているのである。少なくとも写真誌で働くカメラマンや記者は人を探し出すことにかけて人間業《わざ》とは思えないことをやってのける。私は二万人入った日本武道館でターゲットを見付けた事がある。また、小さな顔写真一枚だけを頼りに、五万人の東京ドームでターゲットを見付けた記者もいる。

同世代の若者よりはるかに高いゼニを貰っているのである。それくらいの能力は備えていておかしくないのである。田村記者が私の待つベンチに戻ってきたのは、わずか五分後であった。

「いた！　後ろの教室、二階、一番左側、席は窓際、最後列だ！」

ホンマかいな……。たった五分で……。ホンマに見付けよったんかいな。

「間違いない。本人だ！」

田村記者は自信たっぷりであった。二時間前、正門でカメラマンに取り囲まれた本人を確認しているのだから、間違いはないであろう。阿部記者も連絡のために戻ってきた。もちろん、こちらは自分の担当範囲にはいないことを知らせに来たのである。

こういうときのカメラマンの心境は複雑である。ターゲットが見つからなければ、当然シャッターを押すチャンスはない。仕事にならない。しかし、トラブルのタネもないのである。だから、「ターゲットが見付からなければいいなぁ」という気持ちがちょっとだけ、心の片隅に芽生えている。だが、ターゲットの所在は確認された。見付けてしまった以上、カメラマンの私は、もうやるしかないのである。しょうがないなぁ……。

「じゃあ……、行きますか！」

あー、足が重い。底冷えのする鉄筋の校舎の中、我々は階段を上がって行った。

スッピンにダサい黒ブチ眼鏡

イヤなもんである。入学試験の会場というのは……。これだけ人が集まっているというのに、みんな限りなくよそよそしい。お互いが知らない者同士なのは繁華街の雑踏と同じなのに、空気はズドーンと重いのである。

私は一八歳で大学を受験したが、以来、運転免許、狩猟免許の試験くらいしか経験していない。就職活動はロクにしなかったので入社試験もあまり知らない。世の中には、就職後も昇進試験や資格試験に追いまくられる方がいるそうで、お気の毒なことである。

（ここだ！）

田村記者が目で合図した。教室のドアは開けっ放しであった。

（エーと……、白いセーター……、いた！　やっぱりいた）

ブラウン管でしか見た事のない顔だったが、すぐわかった。テレビの中とは違って、ずいぶん地味なカッコである。もちろんスッピンである。おまけにダサい黒ブチの眼鏡をかけている。

（しめた！　試験官がいない！　やるなら今すぐや！）

（田村さんは後ろのドア、阿部さんは前のドア）

私は二人に指で合図し、一人で後ろのドアから教室に入った。ターゲットは窓際の一番後ろの席にピンと背筋を伸ばして座っている。他の受験生が下を向いて参考書に目を通したり、鉛筆を削ったりしている中、ただ前を見ているだけである。

誰も知り合いはいないであろう。ブラウン管の中ではチヤホヤされるアイドルかもしれんが、入試会場では一人の受験生でしかない。回りはみな競争相手、つまりは敵である。誰も話しかけてはくれない。コーヒーを運んでくれるマネージャーはいない。おべんちゃらを言うテレビ局員もスポンサー筋もいない。

（さあーてとぉー！　どうやって料理するか？）

教室は段々畑式で後ろが高くなっている。傾斜は緩《ゆる》やかである。

（よっしゃあ！　前からに決まり！）

ターゲットの背後から、机と机の間の通路をゆっくり前へ進んだ。彼女の三つ前の右側の席が空いていた。トイレにでも行ってるのだろう。私はそこに何くわぬ顔で腰を下ろした。誰も私に注意を払わない。当たり前である。空いている席に誰が座ろうと知ったことではない。皆、それどころではないのである。

考えてる時間は一秒もない。ターゲットまでの距離は数メートルである。ポケットの中で手探りで四〇ミリのレンズをカメラにセットした。室内だが、思っていたより明るい。絞りを5・6にセットした。見なくてもわかる。このレンズの開放値はF2。絞りリングの開放の位置から三つ目がF5・6である。

よし！　カメラを抜いて振り向いた。ファインダーの中心位置にターゲットを持っていって、ピント・リングを回す。二重に見えていた彼女の像がピタッと一つに重なった。


イカン！　追い駆けてきた！


その瞬間、正面を向いていた彼女の顔がこちらに振れた。見付かったか！　赤ん坊のように指を銜《くわ》えながらも、カッと目を見開いて私を見据えている。どエライ迫力の目付きである。

（かまうかえ！）

私はそのままシャッターを切った。

「カシャ！」

シンと静まりかえった教室にバネが開放される音が響いた（ような気がするだけである。実際はそれほど人の耳には届かない）。私はすばやくフィルムを巻き上げた。

（もう一枚じゃ！）

しかし、敵もさるもの、左手でゆっくりと眼鏡をずり上げ始めた。ちょうど手のひらで顔を隠すようにである。エエイ！　かまわん！　もう一枚！

「カシャ！」

これまでや。長居は禁物である。私はホルスターにカメラを収めて上着で隠し、すぐに席を立った。ターゲットに背を向け、教室の前を回って脱出を図《はか》った。

（何も考えるな！　振り返るな！　あとは逃げろ！）

走り出したいのを我慢して、ちょうど教壇まで逃げた時、意外なことが起こった。

「待って！」

教室中に響き渡る声であった。しかも標準語である。京都訛《なまり》なんか全然ない。京都弁なら「待っとくれやす！」とか「待ちなはれ！」のはずである。思わず足が止まった。

（イカン！　まさか、騒ごうっちゅうのか）

恐る恐る振り返ると、窓際最後方の席で立ち上がって、私を睨み付けていた。

（マ、マズい！）

いくら何でも試験会場でトラブルになったらエラい事である。三田寛子には〝稼業《かぎょう》の患《わずら》い〟で我慢してもらっても、他の受験生に迷惑をかけたらヤバい！

「フライデーのカメラマン、入試会場荒らす。受験生、涙で抗議！」

明日の朝刊の見出しが頭を過《よぎ》った。

バタバタ……。彼女が席を立って走り降りて来る。追い駆けてきた！

（イカン！）

だが、私も走って逃げるわけにはいかない。普通に歩いていなければいけない。追い駆けっこが始まっては騒ぎが大きくなってしまう。受験生たちは何事が起きたかと注視している。

（とりあえず、教室の外や。外へ出るんや！）

私は足を早めて前のドアを目指した。しかし、三田寛子は京都女のくせにお淑《しと》やかではないのであった。ドアの寸前で私に追い付き、目の前に立ちはだかった。思ったより小さかった。

「返して！　フィルム、返して！」

再び教室中に甲高い声が轟《とどろ》き渡った。けっこう気丈である。それにしても「返して」はないやろ――。「返して」という日本語は自分のものを人に取られたときに言うのである。

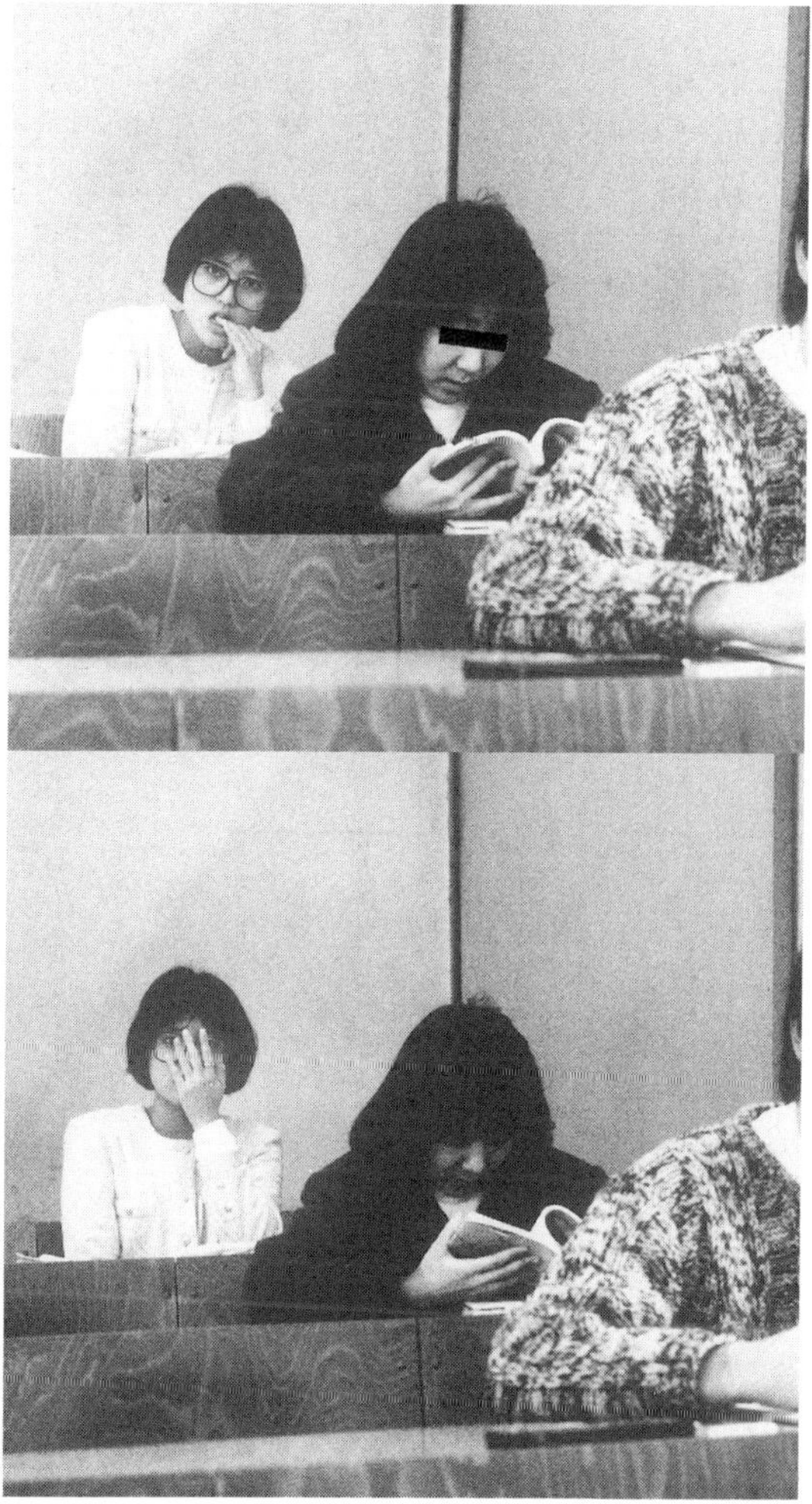

撮られるのを察知して考えた。どうしよう（上）。撮られた後、二枚目（下）の手のひらの奥の目に注目。やっぱり、びっくりしたんやろな。

この場合、フィルムは初めから私のものなのである。したがって「フィルムをください」とお願いする、あるいは「フィルムを出せ！」と脅《おど》さなければならない。

「そんなことでは、まともな女優になれんぞ！」と教えてやりたかったが、長話をしている場合ではない。間もなく二科目目の試験が始まってしまう。

「ちょっと、外に出ようか？」

私は静かに言ってドアの外に出た。彼女も他の受験生に迷惑がかかるのを恐れたのであろう、素直に付いてきた。外には、私とターゲットのやり取りを見ていた阿部記者がいた。この先、どうするかは何も言わなくとも分かっている。彼が三田寛子を足止めし、フィルムを持っている私は速《すみ》やかに脱出するのである。

「お願いします」

私の一言に阿部記者は黙って頷《うなず》いた。

「お話は私が伺《うかが》いましょう」

三田寛子の前に立った阿部記者が慇懃《いんぎん》に言った。次の瞬間、私は階段をスタスタと降りていた。ここでフィルムを持っている私に絡《から》んで来られる人間は滅多にいない。普通の人は丁寧に「話を聞く」と言っている人物を無視できないのである。

カワイイ顔して、けっこうなタマ

私はそのまま何事もなかったようにキャンパスを歩き、潜入時と同じルートで車に戻った。五分もしないうちに、阿部記者も田村記者も戻って来た。彼女は「フィルムを返せ」の一点張りだったという。こんなときの処理は簡単である。なにしろフィルムはすでに安全圏なのだから、問題を先送りにし、騒ぎを起こさせなければよい。

阿部記者は「今日は試験で大変でしょうから、後で事務所の方とお話ししましょう」と言うだけである。芸能人というのは、プロダクションに管理されていて、マネージャーがいなければ何もできない。困ると必ず「事務所を通して！」と言って逃げるのが習性になっている。仕事とはまったく関係のない私生活のことでも堂々とそう言う。だから「事務所と話す」と言われると思考停止してしまうのである。大学に行く前に、もう少し別の勉強をすべきであろう。

写真はドンピシャであった。ただし二枚目は手のひらで顔がすっぽり隠されていた。三田寛子の事務所から何か言ってくるかと思ったら、電話もなかった。きっと「宣伝になるから、いいんじゃないの――」ということなのである。

翌日、彼女は「笑っていいとも」に出演し、タモリとシッカリ入試をネタにしていた。

「きのう入試だったんだって？　どうだった？」

「世界史でシリアの問題が出てたんですウ！　ワタシ、シリアのことはシリアセンのですウ！」

所詮《しょせん》、その程度のことなのである。大学受験をおしゃべりのネタにして、受験料の何十倍ものギャラを稼ぐのである。これならトラブルなんて起こるハズがない。

フライデーという写真誌に撮られたことは一言も喋《しゃべ》らなかった。我々は期待して見ていたのだが、それほどのアホではなかった。テレビでそんなことを言えば、にっくきフライデーの宣伝になってしまうと知っていたのであろう。カワイイ顔して、けっこうなタマである。

ちなみに彼女の入試結果は「サクラ散る」であった。しかし、この何年か後には、有名な歌舞伎役者と結婚し、梨園《りえん》に入ったのである。よかったネ。もし明治学院大学に合格し、何処《どこ》の馬の骨ともわからん男と付き合っていたら、そんな玉の輿《こし》には乗れなかったであろう。我々のせいで受験に失敗したのなら、彼女は我々に感謝しなくてはいけない。人生、何が幸いするか、わからんもんである。

5、竹下景子のチチが見たい！

——編集長さまのご要望にお応えして

頭の中にハエが百匹飛んでおる

我々は毎週、スキャンダラスな絵柄を提供していた。タバコと残飯の臭いの籠もる薄暗いワゴン車の中から望遠レンズで狙う。記者会見では罵声《ばせい》を浴びせながら、芸能人やスポーツ選手、政治家の引き吊った顔を撮る。写真誌が大ウケしたのは、従来の活字主体の芸能ジャーナリズムに比べ、写真には嘘や曖昧《あいまい》さがなかったからであろう。

二代目編集長に寺島氏が就任してからもフライデーの売上げはウナギ昇り。一時は一七〇万部を記録した。まさにバブルであった。

FF現象という言葉が生まれ、芸能人の中にはフライデーの名刺を差し出されただけで、走って逃げる奴までいたと言われるくらいであった。

そんなある日、フライデーの専属カメラマンの控室（講談社旧館ビル外に建てられたプレハブ小屋の二階）に編集部のP記者から電話がかかってきた。カメラマンの仕事はだいたいこうした電話から始まる。しかし、そこに溜まっていた連中は、電話の主がP記者だとわかるとパラパラと席を立って姿を消していった。

「ワシはおらんでえ！」

「オレ、今からメシ食いに行く！」

「ちょっと、便所行ってくる！」

などと言いながら次々といなくなってしまうのであった。なぜそうなるかと言えば、原因はP記者にあった。彼はバカではないし、能なしでもなかった。写真誌の記者としてはベテランで、むしろ優秀なほうであった。

しかし、とてつもなくウルサい男であった。ほっておいたら、いつまでも大声で喋り続けるのである。「何を？」といえば「オノレの自慢話を」である。愚痴《ぐち》ばかりの奴も疲れるが、自慢話ばかりの奴はもっと疲れる。一緒に張り込みなんぞしようものなら、通常の一〇〇倍もの疲労感に襲われるのである。

「エエイ！　じゃかまし！　黙れ！」

そう言いたいのを一日中我慢するのは、かなりの拷問であった。故《ゆえ》に先輩カメラマンたちはP記者から電話がかかってくると、みーんないなくなる。それで、当時二三歳で最年少だった私が仕方なく電話に出ることになるのであった。

「おおっ、宮嶋君か！　ラッキーだよ、キミ。いい話なんだから、すぐ上がって来て！」

何がラッキーなもんか……。P記者に呼び出された私は、講談社旧館ビル五階の編集部にトボトボと上がって行った。

「宮嶋クン！　君のためにさあ……ペラペラ、ボクが一生懸命、おいしいネタを捜してきたんだよ……ペラペラ、ほんっと苦労したんだよ……ペラペラ、きのうオレが○×の奴と飲んだ時……ペラペラ……ボクだからペラペラ……」

私の顔を見ると、たちまち勿体《もったい》をつけて喋り始めた。頭の中にハエが百匹は飛んでいる。ウンザリしながら聞き取った仕事の内容はというと……、これが一言で言える。

TBSの番宣であった。番宣とは番組宣伝の略で、テレビ局が放映予定のドラマや歌番組の話題を新聞、雑誌などの媒体に提供し、紹介してもらうのである。つまらない話では記事にしてもらえないから、たいていは何かおいしそうなネタを用意する。

亭主は髭のカメラマン

今回の話の目玉は竹下景子であった。今でこそ風邪薬のCMで母親役をしているが、かつて竹下景子は雑誌のグラビアを飾り、青春ドラマに主演する美人女優であった。時の総理が「息子の嫁にしたい」と言い出して流行語になったくらいである。

その竹下景子が結婚してしまったのである。相手は関口某という長い髭を生やしたカメラマンであった。カメラマンと言っても我々の同業ではない。ファッションや広告中心のコマーシャル・カメラマンである。彼らと報道カメラマンの共通点は、仕事でカメラを使うという点だけで、あとは全く違う。

彼らは芸能人やモデルのご機嫌を取るが、我々は怒らせたり、泣かせたりする。彼らは一時間何万円もかかるスタジオで助手を使ってパッパッと仕事をするが、我々はワゴン車の中で延々、張り込む。

彼らはスポンサーなどに気に入られるためによく喋るが、我々はネタを洩らさないために口が堅い。彼らは流行の最先端のブランドを身に着けているが、我々は一年中ジーパンで、薄汚い格好をしている。

彼らはセンスで仕事をするホワイト・カラーだが、我々は体力と根性が勝負のブルー・カラーである。

そして決定的な違いは収入であろう。悲しいことにケタが違う。それもゼロが二つくらい違うのである。したがって同じカメラマンとは言っても、じぇんじぇん別の職業と考えてもらわねばならない。

その証拠に、報道カメラマンがアイドル、スチュワーデス、女子アナ、女優といった花形職業の女と結婚したという話はまったく聞かない。接触する機会は、青年実業家や医者や弁護士なんかよりずっと多いにもかかわらず、である。

彼女たちに、報道カメラマンはそれほど嫌われているのであろうか？　確かに汚らしくて下品だから、好かれてはいないであろう。しかし決定的なのは、やっぱりゼニやろなぁ……。

他人の金で温泉大名旅行とは

まあ、そんな事はどっちゃでもいい。その竹下景子が妊娠し、しばらくブラウン管から姿を消していたが、無事、男の子を出産。そしてTBSのドラマが復帰第一作となったのである。

当然、TBSはこれをウリにバンバン宣伝して視聴率を上げたい。とはいっても他の民放やNHKに宣伝費を払って放送してもらうわけにもいかんし、NHKなんぞ最初から×である。そこで自局のワイドショーやテレビガイドやピアなどの情報誌、女性誌、そして芸能ページのあるスポーツ紙や写真誌などを呼んで取材してもらうのである。

竹下景子復帰第一作というだけでも話題性はあったが、TBSはダメ押しをした。そのドラマのロケ現場まで我々を連れて行くというのである。そして、その現場がなんと群馬県の伊香保《いかほ》温泉だという。

参考までに書いておくと、共演はかとうかずこだった。当時、彼女は映画監督の根岸某氏とデキていると噂されており、フライデーでは取材を始めていた。我々は、彼女の愛車、紺のサーブ・ターボを付け回していたものである。それが、後にロリコン犯罪者となるそのまんま東と結婚してしまうのだから、ホントにわからん人たちである。

さて、その番宣ツアーだが、なんと赤坂のＴＢＳから大型バスを二台をチャーターして、伊香保温泉に乗り込むという。

しかも、バスガイドと弁当付きである。もちろんお茶も付いている。時間からいって当然、伊香保温泉に一泊である。それら一切合切がＴＢＳ持ち。こりゃあ、乞食とカメラマンは三日やったらやめられんと言われるハズである。

Ｐ記者はこういうオノレがおいしいメができそうなネタばかりを一生懸命捜してくるのであった。捜すといっても編集部に案内が来るので、それを拾うだけでいいのである。

何ちゅう奴や！　他のカメラマンや記者が、夏には汗を、冬には冷や汗をかいている間に、他人の金で大名旅行をし、温泉に入って来ようというである。それでギャラまで貰おうというのである。世の中に正義はないのであろうか。

チチがパンパンに張っている

出発前日、二代目編集長の寺島氏から呼び出された。

「まあ……、ふだん苦労ばかりかけているから、こういうのもいいだろう。ゆっくり温泉に浸かって来い。ただし！　ＴＢＳの手前、一応、写真だけは撮って来いよ！」

というわけで、今回だけは、甘んじてＴＢＳの招待を受けることになった。

「ハッ！　不肖・宮嶋、編集長のありがたい御配慮に甘え、伊香保温泉一泊二日、竹下景子の笑顔を撮って参ります！」

「ドアホ！　竹下景子の顔なんか撮ってどうするんだ！　うちはフライデーだぞ！」

「はあ……、知ってますけど……、顔、撮らんかったら一体何を……？」

「チチだ！」

「オヤジですかあ？」

「再びアホ！　おっぱいだ！　彼女は子供を産んだばかりで、チチがパンパンに張っているハズだ！　それを撮って来るんだ！」

確かに今回のドラマはチチを出してもおかしくない、いや、チチを出して然《しか》るべき設定である。なにしろ竹下景子が扮《ふん》するのはトルコ嬢（昔はソープのネエちゃんをそう言った）な

温泉旅館の女将役のかとうかずこと記念撮影。
頭の後ろで手を広げられたのはパーの意味か？
いくらバッタカメラマンでも、それはないやろ……。

のである。ほんでもって、かとうかずこが女将《おかみ》をしている温泉旅館に遊びに行く。その温泉旅館での撮影だから、当然、入浴シーンもある！　チチどころか、スッポンポンになって然《しか》るべきであろう。

しかし、腐っても、ガキを産んでも竹下景子である。東京女子大卒の才媛《さいえん》である。そのへんのAV嬢ではないのである。そう簡単に「ハイ！　どうぞ！」とチチを披露してくれるとは、とても思えん！

それに天下のTBSではないか。その後はオウムやヤラセで腐り切ってしまったが、当時はまだまともなテレビ局であった。いかに番宣とはいえ、竹下景子のチチを黙って見せてはくれんであろう。

「いいか！　宮嶋！　チチだ！　顔なんてどうでもいいんだ！　オレは……、イヤもとい、読者はチチが見たいんだ！　チチだ！　竹下景子のチチを撮って来るんだぞ！」

寺島編集長のメガネの奥がいやらしく、もとい、ドスを効かせてキラリと光ったのを、私は見逃さなかった。

さすがに転んでもタダでは起きん人である。TBSの金で取材し、そのTBSの鼻をあかし、スクープをものにしようというのである。その上、自らの欲望も満たす魂胆《こんたん》ではないか。

我々報道カメラマンにとって最も怖ろしい人間は、ヤクザや狂暴な芸能人ではない。編集長という肩書きを持つ中年のサラリーマンである。一つの雑誌において編集長とは絶対君主、かの国の金さんのような存在なのである。

彼が「チチを見たい！」と言う以上、カメラマンはどんなことがあっても、チチを撮らねばならんのであった。

とはいえ、竹下景子がチチを出さんことには撮りようがない。果たして出すであろうか。見せてくれるであろうか？

同行のP記者が頼んでも絶対アカンやろうし……。私が土下座してもダメであろう。そのときは、露天風呂にでも忍び込んで……。難儀《なんぎ》なことである。

ハイエナたちが集まった

翌早朝、二台の大型バスは赤坂を出発した。やっぱり満員であった。それはそうであろう。ただで温泉に連れて行ってもらえるのである。メシも食わせてもらえるのである。こんなおいしい仕事に我々だけということなど、ありえない。

ただでさえ、ハイエナのごとくドあつかましい人種の多い業界なのである。フタを開けてみれば大型バス二台にびっしり……。TVガイドや女性誌はわかる。なんや聞いたこともない雑誌や、一般新聞のテレビ欄担当者まで来ていた。だいたい一般紙が取材しても、載せる紙面なんか、あるんかいな？

そして最も恐れていた事が起こった。最強のライバル誌フォーカスからもカメラマンが来ていたのである。これは厄介《やっかい》である。手抜きはできなくなった。しかし、フォーカスは水田カメラマン一人だけなのが救いである。

当時、若年層の多いフライデーと違い、フォーカスには、獰猛《どうもう》でズルガシコイ、いやもとい、横柄《おうへい》で下品で悪辣《あくらつ》な、いやさらにもとい、アグレッシブなカメラマンがキラ星のごとく在籍していた。イソ隊長と呼ばれていた磯俊一（平成八年にガンで亡くなられた。最後まで報道カメラマンを貫いて。合掌）、後に朝日新聞に亡命する金玉堂こと鎌田正平などである。

そんな中にあって、水田カメラマンは珍しく、羊のようにおとなしい方だと思われていた。したがって、そのような方一人なら、あまり心配する必要もないと思ったのである。

水田カメラマンの名誉のために記しておくが、それが世を忍ぶ仮の姿だと判明したのは、あの日本航空一二三便が御巣鷹《おすたか》山に墜落した時であった。彼は鎌田カメラマンとともにあの密林で二次遭難したにもかかわらず、自力で生還して周囲を驚かせた。

彼の正体は、高知県出身の土佐のいごっそう。しかも元高校球児で並外れた忍耐力と体力を持つ駱駝《らくだ》のようなしぶとい方なのである。

さて、その駱駝氏は当然、バスの中でも一人おとなしくしていた。それに比べて、わが陣営のＰ記者はただでさえ五月蠅《うるさ》いのに、もうハシャギまくって騒ぎ放題であった。なんちゅうても、写真は私が撮るのである。資料はＴＢＳが用意してくれる。ハッキリ言って現地で取材することなんかない。もう気が楽で完全に慰安旅行モードなのである。バスガイド嬢にセクハラすれすれのチョッカイまで出していた。相手がトルコ嬢になったら、どのようなことになるのであろうか。想像するだに恥ずかしいことであった。

大股開きに群がるハゲジジイのように

我々を乗せたバスは途中、関越道花園パーキングで休憩し、何事もなく伊香保温泉に到着した。旅館は二人部屋で「フライデー様二名」つまりＰ記者と同室であった。まぁ、当然であろうが、このＰ記者と同じ空気を吸って、枕を並べて寝るのにはたまらんもんがある。

部屋でひと休み……のはずが、P記者の自慢話を聞かされてゲンナリしていると、TBSの方が救ってくださった。

「エー、皆様どうぞこちらへ……」

取材陣全員が連れて行かれたのは大浴場であった。別に温泉に入るために連れて行かれたのではない。さっそく仕事なのであった。

大浴場にはテレビ用の大型ライトが何機も設置され、何やら怪《あや》しげな雰囲気が漂《ただよ》ってい た。ほとんど田舎のヌード撮影会みたいである。何もせずにバスに乗っているだけで、撮影現場まで案内してくれるのである。張り込みや追っ駆けに比べると、甚《はなは》だしく緊張感に欠ける。

「オオーッ!」

スカみたいな仕事だなぁと思っていたら、周囲のカメラマンから獣《けもの》のような呻《うめ》き声が上がった。スポットライトが当てられた浴槽の中に、あの竹下景子がいたのである。湯気もなく白い首筋と肩、そして鎖骨のあたりがハッキリと見えるではないか。

ドッドドド……

カメラマンたちは周囲の迷惑も考えず浴槽に突進していた。当然、私も、である。被写体に接近しようとするのはカメラマンの本能だが、この場面では男の本能も加わっている。ほとんどストリップの大股開きに群がるハゲジジイの集団なのであった。

浴槽の中で覚悟を決めていたであろう竹下景子も、一瞬タジロいだ。

「ハイハイ！　皆さん！　あわてないでください！　本番中（ドラマの収録の本番の意である。もちろん本番生板の意ではない）はお静かに！　撮影はカットの後でお願いしまーす！」

案内のニィちゃんも、完全にストリップ小屋の司会状態で叫ぶのであった。

今回、寺島編集長が用意してくれたのはカラー・ページである。したがってフィルムは低感度の印刷原稿用のポジ・フィルム。レンズは気合を入れて八五ミリのF1・2という超明るい大口径。明るいレンズだからといって、チチが見えるわけではないが、要は気持ちの問題である。

テレビのライトはタングステン光である。タングステン光用のカラー・フィルムもあるが、デイライト（太陽光＝普通の光）用よりはるかに感度が低い。そこで思い切ってグリップ・タイプの大光量ストロボを用意した。これまた別に大光量だとチチが見えるわけではないのだが、気合いの問題である。カメラはオール金属製のキャノンF―1。大口径レンズに大光量ストロボで、さすがに重い。

「まもなく本番でえーす！　皆さん、お静かに！」

助監督のニィちゃんの声にエコーがかかり、欲情、もとい、浴場全体に響いた。

収録用のテレビ・カメラのアングルのすぐ外側に大量のカメラマンが犇《ひし》めいていた。隣の奴とホホまでひっつきそうになるくらいである。私もカメラを構えるどころか、立っているのがやっとである。異様な光景であった。

それぞれがベストなアングルを占めようと必死なのである。それがほぼ限られていることは、この浴場に足を踏み入れた時からわかっていた。来ているのはみんなプロなので、どうしてもその限られたスペースに集中してしまうのである。

乳首の神経が敏感なのであろうか

別のアングルはないのであろうか。私は意志の力で竹下景子の白い肌から目を離し、大浴場全体を見回した。浴槽の回りに岩が組み上げられている。アングルとしてはどうでもいいような場所だが、その岩の上からだと、このロケ全体の様子がわかる。

しかし、一旦、あんな所に攀《よ》じ登ってしまったら、もう収録中は降りられない。しかも、そこからでは、竹下景子の顔が見えなくなってしまう。

（うん？　竹下景子の顔？　どっかで聞いたような……）

「あッ！」

（顔なんて、どうでもいいんだ！　チチだ！　チチを撮って来い！）

そうであった。チチであった。私の身体は、寺島編集長の呪いにかけられたように、その岩を攀じ登っていった。もちろん、そんな所に付いてくる奴は一人もいない。

そして運命のカチンコが鳴らされたのであった。

「シーン41カット17！　なんとか、かんとか……よおーい！　スタート！」

「カチンコ！」

竹下景子は温泉の中で平泳ぎのように手を開げながら、いかにもリラックスしてセリフを喋り始めた。入浴シーンなのである。さきほどから彼女は一歩も湯舟から出ない。スッポンポンなのであろうか？　それにのぼせないのであろうか？

あとで聞いたら、彼女のためというより、レンズが曇らないように、湯舟の中はほとんど水状態だったという。

それにしても足場が悪い。ゴツゴツの岩の上で重いカメラを構えたままなのである。足場が崩れるか、私がバランスを崩すかしたら、彼女の頭の上にバシャーンと落ちてしまう。取り囲んでいるカメラマンたちは、竹下景子と不肖・宮嶋の混浴シーンを撮るであろう。そうなれば、このドラマはヒジョーに面白くなる。

しかし、そんなことになっては一生のハジである。私は岩の上で爪先《つまさき》立ち、脚をブルブル震わせながら、カメラを構え続けていた。

「あー！　この温泉、とっても気持ちイイ！」

私の苦労も知らないで、竹下景子は呑気にというか、真剣に演技していた。しかし、いくら上から覗いても、お湯の中は全然見えない。青味がかった温泉なのである。彼女も決して乳首から下の線は水面上に現わさない。

(何ちゅう女や……)

まるで乳首に目が付いているみたいである。乳首の神経が敏感なのであろうか。これならPLフィルターを持ってくればよかった——。

PLフィルターはレンズに入ってくる光のベクトルを一方向のみに制限する。水面やショーウィンドー、ガラスなどの反射をなくしたいときに使うフィルターである。

もちろん、デメリットもある。光を制限するのだから、当然、露出倍数がかかる。簡単に言うと暗くなるのである。

こんな状況になるなんて、想像もでけんかった。しかし、ないもんはしゃあない。

「ハイ！　カァーット！」

監督の声が飛んだ瞬間、ドバァー！と彼女にフラッシュの雨が浴びせられた。まるで一年間禁欲していた若者が久し振りに一発抜いた時みたいに、しばしその状態が続いた。竹下景子も快感なのであろうか。ポカンと口を半開きにし、撮られるがままである。

乳房の下まで水着をズラした！

やがて我々は、一発抜いてホォーッと一息ついた禁欲男みたいにカメラを下ろした。緊張が緩んで浴場内に物音がしはじめた時、海パン姿の監督が彼女に近付いていった。

撮影中、モニターを見ながら彼女の演技をチェックしていた彼が、竹下景子の耳もとで何か囁《ささや》いた。私は耳をダンボにして聞きとめた一言を今でも忘れない。

「ごめん……、景子ちゃん。良かったんだけど、水着が見えちゃった……」

（水着ィ！　やっぱり彼女は水着、着とんのかぁ！）

私は全身全霊の力を目玉に込め、彼女の胸元を凝視《ぎょうし》した。

（見えた！）

はっきり見えたのである。まるで透視能力のある超能力者のようであった。淡いブルーの水着である。着色しているのか、もともと青味がかった温泉なのか、とにかくお湯が青かったので気付かなかったのだろう。あるいは撮影時の強い照明が反射してわからなかったのかもしれない。いずれにしろ、水着が見えてしまってはNGだろう。

「ハイ、わかりました——」

蚊の鳴くような声で竹下景子が返事をした、その次の瞬間、不肖・宮嶋、とんでもないモノを見たのであった。

彼女が両手の指で乳房にかかっていたブルーの水着をグイッと下にズラしたのである。もちろん、お湯の中で、である。

(見えた！　ハッキリ見えた！　チチや！)

私は心の中で歓声を上げながら、縦位置に構えていたキャノンF—1のシャッターを押していた。何枚切ったのか記憶にないが、おそらく五、六枚であろう。

「それではあー、再び、シーン41カット17……、皆さん、お静かに！」

助監督の声に、私は親指をシャッターから離した。

(やった！　見た！　撮った！)

トルコ嬢モモコ（竹下景子）の入浴シーン。顔は捨てたつもりだったが、けっこう撮れている。目線が欲しい？贅沢言うんじゃない！

エジプトに遠征したシーザーの心境であった。こんな岩の上に登っていたから見えたのである。おそらく下で蠢《うごめ》いている他社の皆様は気付いてはいまい。それにしても、寺島編集長の言うとおり、パンパンに張ったでっかいチチであった。

チチよ、あなたは偉かった

私もプロである。間違いなく水着は乳房の下にズレていた。私の目に乳房が見えた瞬間にシャッターを切った。お湯の中なので完全とは言えないが、写っているハズであった。もうあとは本当に遊ぶだけである。温泉に入って、そのあとはドンチャン騒ぎの宴会である。宴会シーンはドラマの中で使うということで、報道陣全員がエキストラ出演。そんなもん、ナンボでも協力するっちゅうもんである。タダで温泉に連れて来てもらい、おまけに酒も料理もタダなのである。なにより仕事もうまくいきそうではないか。その上、旅館の女将役のかとうかずこがお酌までしてくれた。このドラマがビデオ化されているなら、読者の皆様、ぜひご覧ください。かとうかずこにお酌されているのが不肖・宮嶋の若かりし頃です！

編集部に戻り、ラボから上がってきた写真を見ると、おおむね予想通りであった。頭上から撮っているので、竹下景子の顔はあまりよくはない。しかし、私が見た通り水着は乳房の下にあった。水面の反射でゆらゆらしているので、チチの形は歪《ゆが》んでいる。だが、ナント、かすかに乳首まで映っているではないか。

ガキを産んだばかりの竹下景子の乳房である。原稿（現像済みフィルム）をルーペでジックリ覗いた寺島編集長は、顔を上げるとニマァーと口元を弛《ゆる》めた。そして、ずり落ちた眼鏡を左手の人差指で押し上げながら言うのであった。

「エエじゃないか！　イヤらしいなぁ。最近の若いもんはモロ出しに馴れちゃってるけど、こういう、見えてんのかぁ……というのが一番イヤらしいんだよ！　うんうん！」

翌週発売されたフライデーを見て、ＴＢＳと竹下景子は眉を顰《ひそ》めたことであろう。いやＴＢＳは、これで竹下景子のチチを見たい連中が視聴率を上げてくれると喜んだかも知れない。

いずれにしろ、私にとってはホントにオイシイ仕事であった。一緒に行ったのがＰ記者でなければ言うことはないのだが、それは贅沢というもんであろう。

なにしろ、この写真は、その後いくつもの媒体で使用され、その度に私に使用料という名のお小遣いをくれたのである。そして、この原稿でまた印税を稼いでくれるのである。

チチよ、あなたは偉かった！

竹下景子さま、まだ萎《しほ》んではいないと信じております。どうぞ、チチによろしくお伝えください。不肖・宮嶋、感謝しております。

6、「人間の屑《くず》」と罵《のの》しるであろう

——売春について、不肖・宮嶋の体験的考察

日本の将来を背負ってタツ青少年のため

不肖・宮嶋、このところ女性読者からもお便りをいただくようになった。テレビからも声がかかる身になった。ありがたいことである。しかし、だからと言って、何処《どこ》その新聞のように女性読者に迎合する気は些《いささ》かもない。

これから書く話によって、私は何割かの読者を失うであろう。それは十分に承知である。だが、日本の将来を背負ってタツ青少年のため、男の真実を知りたいと願う女性たちのため、つまりは世のため人のため、恥を忍んで辛い物語を書く。

それは売春の話である。「オンナを買う」と言えば「お金で女性を蹂躙《じゅうりん》するなんて！」と田島先生みたいな女性解放論者は眉を顰《ひそ》めるであろう。世の中にそのような方が少なからずいらっしゃるのは、よーく知っている。

したがって、彼らとは同席せぬよう心がけているが、不幸にして目の前に現れてしまうこともある。そんなとき、私は世界の常識というものを丁寧に説明させていただいている。

売春婦は世界最古の尊い職業（貴賤はないのだから、職業はすべて尊い）であって、売春婦のいない国はないのである。私が訪れたにもかかわらず、売春婦が現われなかったのは、かの半島国家の北半分だけだが、今では、その国の女たちが国境を越えて中国へと侵攻しているると聞く。

世の奥様方にも聞いてみるべきであろう。自分の亭主が他の女と飯を食い、酒を飲み、ホテルで一発やって、いわゆる不倫なるものをするのと、万札数枚を支払い、チョンの間で一発抜いてくるのと、どちらが許せないかを――。

経済的にも精神的にも売春のほうがよいであろう。これほど単純にして明快、かつ合理的な判断はあろうか。もっとも、かく言う私も、平穏な暮らしの中でこのようなシブい境地に達したのではない。私の短い結婚生活にも、やはり修羅場があった。涙なくしては語れぬ物語があった。これから記《しる》す辛《つら》く痛い試練を潜《くぐ》り抜けて、この宮嶋が在《あ》るのである。

人は襟《えり》を正して聞くべきであろう。

一杯と一発はセットである

それは、かのフィリピン政変（一九八六年）から一年、そして不肖・宮嶋の結婚（同じく一九八六年）からも一年たった、一九八七年のことであった。当時、マニラには、政変直後のキナ臭い雰囲気に加え、三井物産マニラ支店長だった若王子氏の誘拐事件が発生し、ただならぬ気配が漂っていた。

故《ゆえ》あって写真週刊誌の専属カメラマンをやめ、暇をコイていた私は、誘蛾灯《ゆうがとう》に誘われた蛾のようにフィリピンに駆けつけたのであった。

ご存じの通りフィリピンの首都マニラは刺激の多い街である。後に、本物の大統領になったアキノ未亡人が市長とグルになり、マニラ美化計画という愚策を進め、私の大好きなケバケバしいマニラの通りを変身させてしまったが、あの頃、東南アジア最大の歓楽街マニラは健在であった。

中心部のマビニ通りとデルピラール通りには「ブルー・ハワイ」「シャンプー」「ミスティー」「プシー・キャット」といったゴーゴー・バーが密集し、真っ昼間からハイレグのネェちゃんたちが腰を振っていたのである。

しかしながら、不肖・宮嶋、東京には新婚家庭があり、私のカラダを待つ新妻がいた。それを思えば、いくら二十代で、刺激の多い町にいても、ハメをはずして遊ぶ気など起こらなかった。神にでも、イワシの頭にでも誓うが、毎日、ネタを探して歩き回り、汗とホコリにまみれていたのである。

ところが、そのような熱心な取材活動にもかかわらず、ロクな写真も撮れないうちに所

東南アジア最大のスラム、マニラ・トンド地区のスモーキーマウンテン。ゴミの山から金目のものを拾って生計を立てている。下＝アキノ元大統領。

持金が底をついてしまった。そして、不本意な帰国を翌朝に控えた夜、私と同じようにフィリピンに巣くっていた同業のAカメラマンが、送別の宴《うたげ》を開いてくれる運びになった。

A氏は今でこそ、業界では知らない奴はいない名カメラマンだが、名誉のために、ここでは名を伏せておく（ありがたく思うように！）。

二人で気持ちよく一杯やった後、お決まりの一発の話となった。マニラでは一杯と一発はモーニング・セットのコーヒーとトーストのようなものである。A氏は言うのであった。

「ねえ、宮嶋さん、今夜はキアポに行きましょうよ。面白い所、知ってるんです」

キアポはマニラのダウン・タウンで、中国系のフィリピン人が多く住む町である。こういう場面で「私は結構です」などと誘いを断る奴はオカマになったほうがよい。

「国には私の身体を待つ愛妻がおりますので、せっかくのお誘いですが……」などとは、不肖・宮嶋、口が裂けても言えん。たとえ本心はそうであっても、わざわざ送別の宴をもってくれた友に、そのような言葉は返せん。まこと、車寅次郎も言うように、男は辛いのである。

その夜、私は本当に女なんか要《い》らなかった。翌日には気心の知れた愛妻と煙が出るほどデキルのである。しかもタダなのである。それを目前にして、なんでわざわざ金を払って性悪女とヤル必要があろうか。

しかし、「根性なし」と後ろ指を差されるくらいなら、死んだほうがマシである。私は泣きながらジプニー（フィリピンの乗り合いバス）に飛び乗り、殴り込みにいく健サンのような顔でキアポへと向かったのであった。

鉄格子と南京錠の売春窟

キアポの雑踏に降り立つと、Aカメラマンは、通い慣れているのか、街灯もない真っ暗な裏通りを足早に進んだ。

マニラの下町はとてつもなく物騒である。特に夜は強盗、殺人、何でもあり。軍や警察から流出した銃がゴロゴロしている。ニューヨークのサウス・ブロンクスに住んでいた奴が「マニラの方がはるかに怖い」と言っていたほどである。

私はA氏の肩一つ後ろを小走りに付いて行った。ゴミ溜めの迷路のような夜のキアポの裏通りを進むこと数分。強盗にも合わず、辿り着いたのは小汚いコンクリート打ち放しの小さなアパートであった。扉にはぶっとい鉄格子にでっかい南京錠がかかっている。A氏がいかにも慣れた手つきでノックした。

鉄格子の向こうから現われたのは、真っ黒に日焼けして目だけギョロつかせた、どう見ても怪しげなニィちゃんであった。

A氏が目配《めくば》せすると、ガチンという鈍い音とともに南京錠が解かれ、扉が開いた。我々が中に入れば、再びあのぶっとい鉄格子にでっかい南京錠が掛けられるのである。ということは、入ってしまえば、勝手に外へは出られんということである。

「お、おぇ、だ、だ、大丈夫か」

一分でも早く、こんな小汚い所から逃げ出したい気分であった。

「まぁ、まぁ……」

扉の先には薄暗い階段。さらにその奥には、お世辞にも楽しそうには見えない薄暗がりが広がっていた。

香港、ハンブルク、プノンペン、それからバンコク……、不肖・宮嶋、今まで世界のあまたの売春窟に出入りしてきた。しかし、このマニラはキアポの売春窟ほど怖ろしげなところは、後にも先にもなかった。

鉄格子の入口を入ると、狭い廊下に薄暗い裸電球が一つ。両側にはずらりと木製のドアが並んでいる。窓はない。昼間でも太陽の光のまったく届かない世界であった。

モロ怪しげなニィちゃんが殴りつけるようにノックして歩くと、次々にドアが開き、眠そうな目をこすりながら女たちが顔を出した。

ニィちゃんは一人の女の顎を親指と人差指でグッと摑んで、私の方に引き寄せた。

「グッド、セルビス」

低い声でそう呟《つぶや》き、ニターッと笑った。私はおとなしそうな中国系のネエちゃんを選んだ。くどいようだが、ヤリたいわけではなかった。「根性なし」と後ろ指を差されたくないだけだから、誰でもよかったのである。

「じゃあ、あとで……」

ここでA氏と別れ、私は不気味な笑顔を投げかけるニィちゃんと向かい合っていた。

「なんぼや?」

「フィフティ」

五〇円?……のわけはない。こんな汚いところで五〇ドルのはずもない。そしたら、五〇ペソか?　一ペソ七円やから……、エエーッ、三五〇円かぁ！

不肖・宮嶋、身はマニラにあっても関西人のはしくれである。どんなものでも値切らずに買ったことはない。しかし、である。これを値切ってはイカンであろう。今時、東京ではコーヒー一杯も飲めん金額で、マニラでは一杯どころか一発できるのである。私は気前よく五〇ペソをニィちゃんに支払うと、静かにドアを閉めたのであった。

気持ちよく遊んでチップをはずむしか手がない

私はこの時のネエちゃんの名を今でも覚えている。メイアンという名で、当時の私より五つ下の二十歳であった。

二十歳の頃、私はノー天気に大学に通っていたが、彼女はこんな暗い部屋に閉じ込められ、客を取らされているのである。どんな事情があるのかは知らん。しかし、どこかで、何か一つ違っていたら、別の人生もあったろう。

こういう時、女性解放論者や偽善者は「かわいそう、そんな薄幸《はっこう》な少女の体をお金で買うなんて！」とか何とか言うのであろう。

しかし、そういう甘い考えほどタチが悪い。彼女たちはこういう方法でしかカネを稼げないのである。ここで私が落とす五〇ペソの半分以上は怪しげなニィちゃんの懐《ふところ》に入るであろう。しかし、何割かは女の弟の学資か、妹のミルク代か、病気の父親の薬代にな

キアポの売春宿の鉄格子。いったい誰を逃げられなくするためなのだろう。客か、女か。下＝敵娼メイアン。

るのである。

日本の女どもは海外旅行やブランド・バッグ欲しさに、あるいは先天的スケベのために、喜び勇んで風俗に走っているが、そのような売女《バイタ》とは事情が違うのである。「それなら、カネだけ払って一発もやらんで帰ったらいいやないか」と言うアンタ、それが一番残酷なことだと気付かんのか。仮に私がヤラなければ、あのニィちゃんのことだから「セルビス悪カタアルネ！　パカタレ！」と女をシバクかもしれん。ここまでくれば貧困こそが罪であろう。女のためにも、気持ちよーく遊んで、チップをはずむしか手がないのである。

まぁ、そのような論理的必然的結論に至るのであるが、それとはまったく無関係に、私の下半身は非常に元気であった。どのような状況であっても、いったん金さえ払うと、ちゃんと臨戦態勢になってしまう。敵娼《あいかた》がどんなに不細工で性悪女であっても、ちゃんと抜かないともったいないと反応してしまうのである。

不肖の息子とは、このようなモノを言うのであろう。我ながら恐ろしいことである。

まだエイズなどというシャレにならん病気は流行《はや》っていない時代であった。私はメイアンと一時間ほどシッカリ遊び、ついでに写真まで撮って、もちろんチップをはずんで、廊下でA氏と再会したのであった。

そして翌朝、私は何もなかったような顔をして機上の人となった。それから始まる、ホントにオトロシいほどの悲劇も知らずに、である。

男にとって最低最悪の状態

帰国した私は、かわいい新妻と一ヵ月のブランクを埋めるべく、煙が出るんとちゃうかというくらいヤリまくった。それはもうサカリのついた獣状態であった。

そして一週間ほど経った頃、身体の一部に違和感を覚えた。どうも痛いのである。振りかえれば、この一週間、久しぶりに酷使した。そのせいだろうと思っていた。ちょっとヤリすぎたかな、まぁ、今夜からはちょっと控えるかなどと……。

初めのうちは排尿の時にちょっと違和感がある程度だったのである。ところが、次の日はさらに痛みがひどくなっていた。そして、よく晴れたある朝、状況は一変したのであった。

目が覚めるとパンツがパリパリなのである。ここ一週間ほどやりまくってきたのだから、夢精するわけがない。しかもよく見ると……。それからあとは書くのもおぞましい。

御同輩の多くも似たような経験をお持ちであろう。故に詳しくは書かない。とにかく、男にとって、これ以上はない最低最悪の状態なのである。試しに排尿してみると、今度はもうメチャクチャ痛いではないか。初めの頃のちょっとした違和感が懐かしく思い出されるほどの痛みなのであった。

その日の夕方、何気なく水戸黄門の再放送を見ていた私は、思わずハッとした。故東野英治郎扮《ふん》する水戸黄門が助さん格さんにこう言ったのである。

「こうなったら、ウミは徹底的に出し切らないといけませんよ」

そうや！　あれは夢精ではなくウミや！　いや、しかし、ちょっと待て——。ほしたら、何で不肖の息子からウミが出とるんやろ？

その日の夜、仕事から帰ってきた新妻に私はおずおずと体調を尋ねたのであった。

「お、おまえ、なんか、こう、身体おかしなとこ、ないか？」

「べつに」

「た、たとえば、こう、小便がでないとか？」

「何でそんなこと聞くのよ？」

不信感丸出しの新妻を見て、私は確信した。女に症状が出なくて、男にしか出ない、つまり男にしか出ない淋しい病状。それが語源となっている病気なのではなかろうか。心当たりは……、もちろんある。

折しも妻は翌朝からのハネムーンの準備の真っ最中であった。結婚したのは一年も前だったが、諸般の事情（知りたい人は新潮社の『不肖・宮嶋　踊る大取材線』を読んでネ）により延期されていたのである。

私は写真週刊誌をやめたばっかりで、貯金を食い潰すだけのお先真っ暗なフリー・カメラマンであったが、箱根一泊旅行を計画していた。新婚旅行を一年間もお預けにされていた妻のために、清水の舞台から飛び降りるつもりで――。

その大事な旅行を翌日に控えて、なんということであろう。一生に一度の（人によっては二、三度行くかもしれない）ハネムーンに出発するというのに、肝心の下半身に異常をきたしてしまったのである。しかし、喜々として支度《したく》をしている妻に「チ＊ポの調子が悪いから、止めよう」などと残酷なことが言えるであろうか。

そして無情にも時計の針はいつもと同じようにクルクル回り、運命の朝はやってきたのであった。私の下半身はもはやシャレにならん状態になっていた。これでは閉店とわかっている店に買い物に行くようなものではないか。

そもそも、新婚旅行というのは、古今東西、子孫を残すための雰囲気づくりに行くようなものであろう。私の場合は職務上の理由から、泥縄になってしまったものの、やっとこさ、人並みに温泉一泊旅行に行けるようになったのである。

ああ、それなのに、不肖の息子はダメなのである。使いものにならんのである。人の世には、いかにも間が悪いということが往々にして起こる。不肖・宮嶋、若かったとはいえ、そのくらいのことは知っていた。しかし、これほどのタイミングの悪さがあろうか。天は宮嶋を見捨てたもうたか。

二人の愛車ビュイック（当時）に荷物を積み込んでいる愛妻に、何と言えばよいのであろうか。この時の悲しく切ない心情を詠《よ》みて一首。

嗚呼ウミは出る出る　陰部は痛む　越すに越されぬ箱根山　　不肖

身は病に冒されようと歌心を忘れぬ私であったが、事ここに至っては、もはや呑気に新婚旅行にウツツをぬかしている場合ではない。まずは医者に行くべきである。とにもかくにも病院に駆け付けて、不肖の息子の手当をすべきであろう。

その日は土曜日であった。これを逃せば、二日間、痛みに耐えねばならない。もう、二日間どころか二時間ですら耐えられそうになかった。痛みはますます激しくなり、ウミは下半身すべてを溶かしてしまうほどの恐ろしい勢いである。一刻も早く病院に行かねばならん。意を決して、私は新妻に切り出したのであった。

「途中で病院に寄って行こう」

妻はハトが豆鉄砲を食らったような顔した。

「どうしたの？」

「ちょっと、帰国してから、どうも体調がすぐれん」

「えっ、あの、あなたが？」

疑惑の眼差しを向ける妻にかまわず、私は部屋に戻り、中野、杉並、新宿あたりの病院に片っ端から電話をかけた。そして、ついに西新宿の東京医大病院が土曜日の午後にも緊急患者を受け付けてくれることをつかむや、ただちに車を発進させたのであった。

箱根に行くには東名高速に乗るのだから、その前にちょっと寄り道するみたいなものである。助手席の妻は訳のわからぬ様子であったが、わからぬほうが幸福なこともある。車はこんな時に限ってガラガラの方南通りを調子よく突っ走り、アッと言う間に東京医大病院の駐車場に着いたのであった。

狭いビュイックの車内には、なんや、気まずーい雰囲気が充満していた。

「もう痛くて死にそうなんです」

「ホンナラ、ちょっと行ってくるわ。車で待っといてくれ」

私は努《つと》めて明るく軽ーく言い残し、背に針のような視線を浴びながら、緊急患者入口に向かった。緊急患者受付には、若い看護婦さんが一人、ちょこんと控えていた。

（ゲッ、看護婦かいな、まあ、病院やから看護婦くらいおるわなぁ。しかし、マイッタのぉ）

とはいえ、ウミを垂れ流しながらハネムーンになんぞ行けるわけがない。私は覚悟を決め、恐る恐る窓口に進み、おずおずと国民健康保険証を差し出した。こんな時のために、少ない収入の中から保険料を払い続けてきたのである。ようやくその甲斐があったというものである。

「アラ、どうされました？」

こっちの身の上、もとい身の下も知らず、きわめて事務的な口調であった。

「ハァ……、あの、ちょっと……、その……」

簡単に説明できることではないのである。しばし口ごもった私を責めてはならない。

「どこか痛むのですか？」

女はなんでも若くて美しいほうがよいというものではない。世の中には、美しくなく、ババアのほうがよいこともある。この時、私は女を年齢や美醜で判断してはならないことを学習したのであった。心ある読者は、それについての卓見を聞きたいであろうが、ここは話を進める。

「ハァ、あの、ちょっと……、局部が……、痛むんです」

「キョクブ……？　キョクブと言いますと？」

けっこうカワユイ、若い看護婦が聞くのであった。

（チ＊ポのことじゃあ！　チ＊ポの先からウミが止まらんのじゃあ！　ここでオマエに見せたろかぁ！）

私は喉元《のどもと》まで出かかった言葉をグッと呑み込み、明るく爽やかな顔でお答えした。

「ハイ、キョクブとは陰茎です。陰茎に異常をきたして、排尿の際に激しい痛みを伴《ともな》います」

どう見ても紳士的であった。誰が聞いても丁寧な言葉であった。それなのに、看護婦は冷たく言ったのである。

「月曜まで我慢できませんか」

私は耳を疑った。冷酷とは、このような態度を言うのであろう。残忍とは、このアホタレ女のための言葉であろう。我慢できんから、恥を忍んで急患を受け付ける病院に車を飛ばして来たんじゃ！　月曜まで待てるもんなら、誰がこんな所に来るかぁ！

これだから医者と弁護士と役人と不動産屋と金貸し（サラ金ではない。銀行屋のことである）は嫌いである。

「ここは救急病院ですので――」

看護婦はサラリと言うのであった。

（だから、なんじゃ！　それじゃ、ナニかえ？　性病は緊急とちゃうんか？　誰が好き好んで土曜日の午後に、しかもハネムーンの途中に、こんな所に寄るか！　病気に予定なんぞないんじゃ！　普通も緊急もないんじゃ！　痛いもんは痛いんじゃ！　明日、病気になることがわかったら、世の中に保険会社はいらんワイ）

看護婦だというのに、それくらいのことがわからんハズがない。治療を断《ことわ》ろうとしているのがミエミエである。「それでもオマエは白衣の天使か」と怒鳴りたいところであったが、ともかく治療を受けるのが先である。私は両手で股間を押さえ、ひたすら懇願した。

「私も一応、緊急なんです。本当です。もう痛くて死にそうなんです」

看護婦は「フーッ」と鼻から溜息をつくと、いかにも厭《いや》そうに内線電話の受話器を持ち上げた。土曜日の昼下がり、東京のど真ん中の大病院だというのに、待合室にも廊下にも、私のほかに患者の姿は見えなかった。それなのに私の名はなかなか呼ばれなかった。

「まだなのぉ〜、何やってんのよぉ？」

（ゲッ、ヤバッ！）

突然、待合室に現れた妻の姿に心臓が止まりそうになった。危うく死ぬところであった。なんや、ようわからんけど、ドエライことになってきた。愛し合って一緒になったというのに、妻の顔がこんなにオトロシく見えるものであろうか。

浮気がバレてしまった世の亭主族の気持ちは、このようなものなのであろうか。しかし、誓って言うが、私が買ったのはコーヒー一杯の値段（五〇ペソ）のプロなのである。プロの女と一発やるのは浮気ではない。単なる生理現象である。小便をしたくなるのと同じなのである。

たまたま（シャレではない）立小便をしたら、そこに性悪な蜂が飛んできて刺されてしまった。まぁ、そのようなことではないか。行儀はよくないかもしれんが、そのくらいは大目に見るのが治まる御世《みよ》というもんであろう。

しかも、私は好き好《この》んでしたのではない。好き好んですることもあるが、あのときは、Aカメラマンに誘われて、根性なしと後ろ指を差されるのに耐えられんから、やむを得ず付き合ったのである。決して妻を裏切ったわけではない。その証拠に、帰国してからは毎晩、あんなに頑張ったではないか。

しかし、そのような屁理屈、もとい正論が、すでに疑惑の眼差しを向けている妻に理解されるとは、とうてい思えん。「いいから、車で待っとれ」と妻を追い返したのだが、コーヒー一杯の価値しかない一発がとてつもなく高くつきそうな雲行きであった。

残忍な看護婦と生意気な医者

一体、性病にも国民健康保険は利《き》くのであろうか。まぁ、アカンかったら海外旅行保険で請求したろ。なんちゅうても発病したのは日本だが、病気を伝染《うつ》されたのは、明らかに外国滞在中だったのである。などと今後の作戦を練っていると、例の残忍な看護婦が顔を出した。

「ミヤジマさ〜ん！　診察室にお入りください」

私は白いカーテンを割って診察室に入って行った。三十くらいに見える医者が面倒くさそうに回転椅子をひねり、私に向かい合った。ポロシャツにサンダル履きだが、一応、白衣は着ている。まったく病院というのは、警察と同じで、息が詰まる所である。

「今日はぁ、どうしましたぁ？」

いかにも面倒臭そうに聞くのであった。生意気な医者である。しかし、ここは怒らすようなことを言ってはいけない。私はひたすら丁寧に、この一週間の状況を説明した。一通り話を聞くと、若い医者は大きな溜息をついて言った。

「とりあえず、ズボンを脱いで、見せてください」

「……………」

パンツがチ＊ポから離れるとき、パリパリと不気味な音を立てた。若い医者は一瞥《いちべつ》するなり、触りもせずに判定を下した。

「アンタ、これ、淋病だよ」

「アッ、やっぱり！　私もそう思ってたんですよ」

予想がモロ的中で、思わず顔が綻《ほころ》んだ。すると若い医者はみるみる険《けわ》しい顔になって、怒るように言うのであった。

「アンタ、笑いごとじゃないよ。ここを何処だと思っているの！」

「へえ、病院でっしゃろ」

「普通の病院じゃないんだ！　救急病院！　交通事故に遭《あ》った人とか、今にも死にそうな患者が運ばれてくる大学病院なの！　そんなとこにアンタ、自分の不始末で……」

不肖・宮嶋、生命の大切さは十分に認識しているつもりである。もしここに交通事故に遭って死にそうな人がいるなら、医者はその患者の手当をすべきであろう。私は痛むチ＊ポを握りしめ、その方の治療が済むまでジット待つであろう。

しかし、今、ここに死にそうな患者はいない。患者はチ＊ポを病んでいる私だけなのである。ならば、目の前で痛みを訴えている私を、誠心誠意、一生懸命、治してやろうとすべきではないか。それが医者のあるべき姿であろう。

「リンビョー！　リンビョー！　ぜえ〜ったい、リンビョー！　しかも強烈なリン菌！　注射打って、薬出すから、お酒は呑まないように！」

「へぇ〜、酒はダメでっか？　今から温泉に行くんですけど……、ちょっとぐらいならいいですか？」

「だめ！　だめ！　だめ！　絶対ダーメ！　一滴でも呑んだら、薬が効かなくなるんだからね！　丸々一〇日間！　一〇日間は絶対、呑んじゃダメだからね。一〇日したらまた来なさい。診察時間内でね！」

酒なしの一〇日間なんて、チ＊ポの痛みより辛い。トホホッとズボンを上げようとする私を医者があわてて制した。

「ちょっと待って……、触診するから。それから、ちょっと、今呼ぶから……、そのまま、そのまま」

「へぇ？」

なんや、わけが分からず、目を点にしている私の前に、どこに隠れていたのか、カーテンの陰からゾロゾロと白衣の集団が姿を現わした。私と同い歳ぐらいか、少し上の二六、七。ひどく暗い顔をした連中である。

淋病患者に人権はないのか

こいつら、いわゆるインターン（見習医）やな、と思っていたら、中にネェちゃんまでいるではないか。しかも一人ではない。数人いる。何でこんな奴らが下半身丸出しの私を取り囲むのであろうか。不思議な光景である。

「な、な、なんですの、これ？」

質問に答える代わりに、若い医者は私の下半身を手で探り始めた。そして、臍の下と陰毛の上あたりでその手を止めた。

「臍の下、リンパ腺二ヵ所に小豆大《あずき》のしこり」

私を取り囲んだ白衣の若い集団は、書類ボードの上にメモを取りながら、丸出しの下半身にチラチラ視線を送るのであった。数人の女医の卵どもも、興味深そうに見るのであった。

「さあ、順番に触ってみなさい。まず君から」

「ちょ、ちょ、ちょっと、待って……、なにを……」

反論を許される間もなく、白衣の集団は次々に無抵抗の私の臍の下を探り始めた。そして女医の卵どもの番になったとき、私は必死に下半身に力をこめた。せめて一矢報《いっしむく》いてやろうと——。だが、傷ついた不肖の息子にはピクリとする余力もないのであった。無念である。

「みんな、わかったか。これが淋病の典型的な症状だ」

わが国には基本的人権の擁護を高らかに謳《うた》った日本国憲法というものがある。そうした法治国家において、このような狼藉《ろうぜき》が許されるのであろうか。淋病患者に人権はないというのであろうか。たとえ、医者の養成のためという大義名分によって許されるとしても、医者の卵どもは私にモルモット料を支払うべきではないか。興味深そうに見た女医の卵どもは、私に鑑賞料を支払うべきではないか。

私の自尊心はもうズタズタである。輪姦される女の気持ちの一〇〇分の一くらいはわかったような気がした。白衣の若い集団は、私に礼を言うでもなく、もちろん、チップをくれるでもなく、嵐のように何処ぞに去ってしまった。

ここで、すべての読者はよーく考えていただきたい。不肖・宮嶋、メイアンという哀れな売春婦を三五〇円ほどで買い、強烈なリン菌をもらった。しょうもない男であろう。しかし、私はメイアンに感謝と慰労の気持ちを込めて、チップをはずんだのである。そして嘘でも「センキュー　グッド　セルビス」と言ったのである。

しかるに、私をモルモット代わりにした医者の卵どもは、なーんも言えんのである。売春婦を買った宮嶋と、礼も言えない医者の卵と、どっちが真っ当な人間であろうか。

東京医大病院の皆さん、今からでも遅くはありません。私にモルモット料と鑑賞料を届けなさい。それが人の道というものです。

人生は諦めなければ負けにはならん

若い医者は、まったく悪びれた様子もなく、カルテに目を落としたまま言った。

「まさか、その後、他の女性との性交渉はないでしょうな？」

「ビクッ……」

身体に電流が走り、言葉に詰まった。

「どうしました？」

イカン。大事なことを忘れとった。私がフィリピンから帰国したとき、妻は成田空港に迎えに来てくれた。アパートまで待ちきれなかった私たちは、富里のラブ・ホテルに駆け込み、煙が出るほどにヤリまくった。そして、それから一週間というものは……。

「いやぁ……、ありました、妻と」

私は頭をかきながら正直に言ったのであった。

「エエーッ……、ダメだな……、伝染《うつ》ってる。間違いなく伝染ってる。アンタが伝染されたように、今度はアンタが奥さんに伝染しちゃったんですよ」

突然、目の前の真っ白なカーテンが真っ黒になった。

「そ、そ、そんな……、だって、あの時は何ともなかったんでっせ！」

そんなアホなことがあってたまるか？　確かに今、私の下半身はボロボロだが、あの富里のラブ・ホテルでは何ともなかった。それに妻は体の異常を訴えていないのである。

「それは潜伏期間だったんだよ。症状が出なかっただけで、その時はもうすでにあなたの下半身はリン菌に侵《おか》されていたんだ。それに女性にはほとんど痛みやかゆみがない。自覚症状がないだけなんだよ」

なるほど、なかなか明解な説明である。私は非常時にもかかわらず、真っ暗な目の前からポロリと鱗《うろこ》を落としたのであった。医者はさらに続けた。

「いくら自覚症状がないからといって、奥さんもリン菌に侵されていることは絶対間違いない。家に帰ったら、奥さんに病院に行くように伝えなさい」

「はあ……、なんや、気が進みまへんけどなぁ。どうしても私の口から伝えなあきまへんか？」

「気が進むとか、進まないとか、そういう問題じゃないんだよ！　アンタが悪いんだろ！」

「はあ、どうしても告げなあきまへんか？　実は今、表で待ってるんですけど……。なんちゅうたらよろしいやろ？」

「ナニ～、今、いるのぉ～、すぐここに呼びなさい！　アンタ、正直に話しなさい！」

真っ暗な目の前がさらに暗くなるのであった。しかし、諦《あきら》めてはならん。人間、諦めたら終わりである。諦めなければ負けにはならんのである。幾多の修羅場を口先だけで潜《くぐ》り抜けてきた宮嶋である。まだ誤魔化《ごまか》せるかもしれん。

「完治まで酒がダメなのはわかりましたが、性交渉もダメでっか？」

これからの修羅場は仕方がない。覚悟しよう。だが、今日はこれからハネムーンである。今夜は名目上、記念すべき初夜なのである。

ハネムーンに出掛けて酒もアレもダメでは、いったい何をすればよいのであろう。箱根だからといって一日中、温泉に入っているわけにはいかんではないか。

「アンタ……、本当に……、もう、救いようのない人だね！」

きっと女にまるで縁がないのであろう。医者は怒りを露《あら》わにして言うのであった。

「どうしても、というなら、コンドームを付けなさい！　とにかく、奥さん、呼んで来なさい！」

私はようやく診察室を出て駐車場に向かった。限りなく重い足を引きずって……。

「もう、何してたのよ！」

妻はすでに不機嫌そうであった。これからもっと不機嫌になるのであろう。未来のことは神様にしかわからんと言うが、アレは嘘である。人間にもわかる。宮嶋にもわかる。あの若い医者に、《旦那さん、悪い風邪みたいだから、念のため奥さんもクスリ飲んどいてね》なんて、そんな気の利いたことが言えるはずがないのである。

「ああ、あそこの部屋で、なんや、おっさんが呼んでるぞ」

「誰が？　どうして？」

「ここの医者が、や。ようわからんけど、君に話があるって」

その時、妻の頭に善意の大誤解が過《よぎ》ったのを否定するものではない。新婚早々、夫が不治の病に侵されて……、医者は私本人にその宣告をするのを躊躇《ためら》い……、家族つまり妻に癌とか白血病の宣告を……、なんてことが、である。

切なそうな視線を私に投げかけ、妻は病院に入って行った。

さあ、困ったのぉ……。バレるのは時間の問題になってしもうた――。

土下座すれば、妻の奴隷になる

当時、私は若くて元気いっぱいであった。写真週刊誌を辞め、フリーになって腕一本で食っていこうというバリバリの報道カメラマンであった。ところが、そんな私にもたった一つだけ怖いものがあった。

それは義父、つまり妻の父親である。彼は、かわいい末娘をどこの馬の骨ともわからん奴にとられただけでも、相当にムカついていた。一年前の結婚のときも、私は、マニラ政変を取材に行って所持金を使い果たし、それはそれはキツイお小言を頂戴《ちょうだい》したものであった。

故《ゆえ》に妻の実家において、私の評価は最低なのだが、またマニラで女遊びをし、淋病をもらい、しかもそれを妻に伝染《うつ》したと知れたら、どのようなことになるのであろうか。ただでさえ甲斐性《かいしょう》なしのロクでなし極道亭主だと思われているのに――。考えるだに恐ろしいことであった。

これからの修羅場をどう乗り切るか。それで、私の今後の人生が決まる。もし、私が妻に土下座して許しを乞《こ》うようなことをすれば、私はその後の人生を妻の奴隷として生きることになるであろう。

奴隷になるのが好きな男もいるが、究極の選択なら、私は奴隷を使うほうを選ぶ。奴隷になるのは嫌である。何とか、奴隷にならずに済む方法はないものであろうか。

その時、明晰なるわが頭脳に一つのエピソードが電撃のごとく閃《ひらめ》いたのであった。不肖・宮嶋、幼少のみぎりから書物に親しんできた。大方は『敵中横断三千里』『爆弾三勇士』といったものであったが、ときに小説も読んだ。その中に若い夫婦の話があった。

クリスマスに、貧しい二人は相手にプレゼントをしようと考えた。夫は美しい髪の妻にリボンを、妻は夫に懐中時計に付ける紐《ひも》を買ってやりたいと思った。しかし、カネがない。夫は懐中時計を売ってリボンを買った。妻は髪を切って売り、懐中時計の紐を買った。そして、二人は役に立たなくなったプレゼントを交換しあい、幸せに暮らしたとさ。

なぜ、このような美しい話が、この修羅場で宮嶋の脳裏に甦《よみがえ》ったか。わからない人は自らの学習能力のなさを嘆《なげ》きなさい。

夫婦がともに同じ状況で、同じことを考えている場合があるのである。とすると、もしかしたら、ひょっとして、妻が私と同じ状況で、同じことを考えている可能性もゼロではあるまい。とすれば、こちらの出方次第で失地挽回はおろか、逆転大勝利まであるのではないか。一億分の一くらいの確率かもしれんが……。

かつてわが父祖たちは彼我《ひが》の国力の差を知りつつも、真珠湾を急襲したのであった。大和《やまと》は片道の燃料で出撃したのであった。男子たるもの、わずかでも可能性があれば、諦めてはならんのである。

約三〇分後、私は頭に角の生えた人間を生まれて初めて見た。まだ秋だというのに人間の頭から湯気が立ち昇るのを見た。妻は愛車ビュイックの助手席のドアを乱暴に開けるなり、ドサッと尻を落とした。

「イーッタイ、何やってんのよ！　伝染ってたわよ！　いったいどこの女よ！　いくら取られたと思ってんの！　何で私がそんな金を払わなければならないのよ！　本当に情けない……」

もう、何をどう取り繕《つくろ》おうと無駄である。コーヒー一杯の価値しかない一発は、その数十倍の治療費と薬代になっていた。思えば高い買い物であった。

しかし、こうなってしまった以上、強行突破しかない。私は少しも慌《あわ》てず、一発逆転、起死回生の作戦を発動したのであった。

「君こそなんだ！　とんでもない女だな！　盗人《ぬすっと》、猛々《たけだけ》しいとはこのことだ。いったい亭主が出張中に、どこの男に伝染されたんだ！　私が独り外国で必死に頑張っているときに！」

　私は、怒髪《どはつ》天を衝《つ》く勢いで怒鳴りまくったのであった。次の瞬間、妻は鬼の形相を消し、カクンと首をうなだれた。そしてシクシク泣きだしたのであった。

「なんてことを……、ひどい……、あんまりよ……」

　やはり、作戦は失敗であった。成功であれば「ごめんなさい」という言葉が返ってくるはずであった。かなり無理のある作戦だとは思っていたが……。

　たしかに私はひどい。いかにも鬼である。人は最低最悪のカスと言うであろう。人間の屑《くず》と罵《ののし》るであろう。しかし、もう、ルビコンを渡ってしまった。後戻りはできん。ここで非を認めて土下座するわけにはいかんのである。

　愛車の中はムチャクチャ気まずい雰囲気であったが、私はかまわずアクセルを踏み込んだ。そして、東名高速に向かってハンドルを切ったのであった。もちろん、楽しいハネムーンに出掛けるために、である。

　それから二人がどうなったか？　知りたい？　やっぱり知りたいやろのお……。私が言うのもナンだが、妻は本当によくできた女であった。不肖・宮嶋の本妻になろうとしただけのことはある。オノレに自覚症状がなかったからなのか、いつの間にか機嫌を直し、いつもの明るく元気な妻に戻ったのであった。

それから？　まだ知りたいか？　その夜、二人は箱根の混浴温泉で乳繰《ちちく》り合い、その後、以前と変わりなく愛を確かめ合ったのである。もちろん、しっかりコンドームをして……。

それから？　まだ知りたいか？　二年後にいなくなったんじゃ～！

7、覆面ベンツを捕まえろ！

――東名高速に出没の覆面パトカーを大追跡！

西川デスクが異常な興味を示すもの

「おえ！（おいの意）宮嶋！　ワレ（お前の意）こんなクルマ、見たことないか？」

とある水曜日の午後であった。なんや見たことも聞いたこともないようなカーオタク雑誌を手にした西川デスクが近寄ってきた。

西川デスク……、週刊文春グラビア史に残る迷デスクである。現在はインテリ女向け月刊誌クレアの編集長だが、この人、七年間も週刊文春グラビア班のデスクに居座り続けていた。

デスクと呼ばれるようになると編集者もエラクなって、文字どおり、ずぅーっと机の前でフンゾリ返っている。現場に出るのは好みのモデル撮影とか、その後の合コンが期待できるようなケースだけである。

机でフンゾリ返って何をしているか？　すでに多くの読者はご存じであろうが、この方は、ありとあらゆる印刷物、新聞、雑誌に目を通していらっしゃった。ことに大好きであられたのは、夕刊フジや内外タイムスのエロ記事、成田アキラのテレクラ漫画である。

「エエのぉ……、ワシもこんなおいしい目に会《お》うてみたいわ！」

三〇分に一度、涎《よだれ》を垂らしながらそうおっしゃったものである。そのような西川デスクの鬱屈《うっくつ》した欲望が週刊文春の夏の名物企画「納涼！　流しウーメン」を創ったのであった。知らない読者のために解説しておこう。「流しウーメン」とはプールの滑り台（水が流れているヤツ）にビキニのネェちゃんを流し、濡れた水着が股間に食い込むのを楽しむというアホな企画である。

もう一つ、西川デスクが異常な興味を示しておられたのがクルマであった。名の知れたカー雑誌、カーセンサーやオプションなどはもちろん、誰がこんな本を見るんやというようなオタク雑誌にまで目を通していらっしゃったのである。

「クルマ？　何ですの？」

「これや、これや、これですがな……、まあ見てみい！」

言われるままにカーオタク雑誌を覗き込むと、そこには一台のクルマの小《ち》っさな活版写真が載っていた。それは子供でも知っている車種であった。

「何ですの？　これ？　このベンツがどないしたんです？」

「とってこい！」

「ヘッ？　盗ってこい？」

以前、この人が言っていた言葉を思い出した。

「ワシもデスクと呼ばれとる以上、ベンツでもコロがさんとカッコつかんど……。ベンツ、欲しいのぉ……。家やめて、ベンツ買《こ》うたろか？」

家を買ってしまった西川デスクは、ベンツを買うカネが無くなったのである。しかし、手下のカメラマンに盗みまでやらすかぁ？　やらすなぁ、この人なら……。

私はカメラのプロであって、盗みのプロではない。いくら殺人と営利誘拐以外なら何でもするとコイているとはいえ、それは営業上の言葉である。不肖・宮嶋、幼少より「人様の物に手を出したらイカン」と明石の父母に厳しく躾けられた。したがって、万引き、置き引き、そして人の女を寝取るなんてハレンチな行為は一度もしたことがない。

しかし、グラビア班のデスクといえばエラいのである。カメラマンという兵隊の上官サマである。その命令は絶対ニシテ侵スベカラズなのである。あー、ドジ踏んだら新聞に載るなぁ……。明石の老父母も悲しむやろなぁ……。

「アホ！　ちゃう意味じゃ！　写真を撮って来い！　まあ下の記事も読んだらんかえ！（読んでみたまえの意）盗み、頼むなら中国人でも使うワイ！」

ホッと胸を撫で下ろし、記事に目を通して、ぶっとんだ。メルセデス・ベンツ300Eの覆面パトカーが出現したというのである。不肖・宮嶋、今でこそ東京に数台と言われるベンツの最高級車をコロがしているが、当時の愛車はBMW325iであった。

ベンツ300Eと言えば、コベンツと呼ばれた190Eの上級車、新車なら八〇〇万円（当時）くらいはする。バブルだった当時ですら、庶民には手の届かない高級車である。

その高級車を覆面パトカーに使っているというのか！　記事によると、銀色でナンバーは横浜か川崎の88だという。88というのは品川、練馬、横浜などの陸運局名の次の二桁の数字のことである。排気量二〇〇〇CC未満は5か7で始まる二桁（現在は三桁、以下同）。二〇〇〇CC以上が33から35までの3から始まる二桁で、これが3ナンバーと言われる大排気量車。商用貨物車のライトバンなどは4から始まる二桁である。

ベンツが覆面パトカーであるハズがない

そして問題の88ナンバーとは、いわゆる特殊用途の改造車である。パトカー、消防車、右翼団体の街宣車、救急車などである。これらは、誰が見ても特殊用途の改造車だとわかる。

しかし、覆面パトカーはそれらの車両とまったく違う。パトカーだとわからないように普通の自家用車を装《よそお》っている。つまりクラウンやセドリックのようなごくありふれたセダンを使うのである。これを見分けるポイントは……。あんまり詳しくバラすとシャレにならんので、ここまでにしとこぉー。

私はしょっちゅう普通のパトカーに停止を求められているが、未《いま》だ覆面パトカーには捕まったことがない。それは簡単に見分ける方法を知っているからでは決してなく、いつも安全運転を心掛けているからである。

要するに、ちょっと知識のあるヤツは、ベンツが覆面パトカーであるハズがないと思い込んでいる。したがって、このベンツの覆面パトカーは入れ食い状態で、東名高速や第三京浜のドライバーを泣かせているというのである。

これだからオタク雑誌は困るのである。本末転倒であろう。違反さえしなければ覆面パトカーがポルシェだろうとロールス・ロイスだろうと関係ないではないか。私みたいに安全運転を心掛けていれば、ベンツが覆面していたって、泣くことはないのである。

そんなことにまったく興味のない優良ドライバーである私に、なぜ警察はゴールド免許をくれないのであろう？　不思議なことである。

「それで……、撮って来いって言ったって、いつ、どこでですか？」

「再びアホ！　そんなもん、ワシが知っとるわけないやろ！」

雲を摑むような話である。警察に電話して「おたくの覆面パトカー、今どこ走ってますか？」と聞いても、教えてくれるわけがない。

というわけで今回、不肖・宮嶋に下されたミッション・インポッシブルは「ベンツの覆面パトカーを撮れ！」であった。

「アッ！　それから宮嶋！　言い忘れとったけど、そのへん走っとるベンツを横からパチッと撮って、オレを誤魔化そうと思っても無駄やで！　このベンツがモロ取締りをやっているとこを撮ってくるんや！　わかったな？　それから、取材中ワレ（オマエ）がそのベンツに捕まっても、ワシは一切関知せんからな！」

するとオトリ取材はダメである。捕まって罰金を払わされたり減点されるのは私なのである。

（それやったら、いったい……、どないせえちゅうんや？）

ノドから出そうになった言葉を、私はグッと呑み込んだ。この方にそんなことを言ってもムダなのである。「三たびアホ！　ワレの首の上に付いとんのはなんじゃ！　自分で考えんけ！」とお怒りになるだけだからである。

ええ商売である。毎日、エロ記事とオタク雑誌を読み漁《あさ》り、食指の動いたテーマを見つけたら「撮ってこい！」と兵隊に命じるのである。ヤバイ橋を渡るときは「ワシは一切関知せんからな！」と言えばよいのである。それで高給が貰えるのである。天は、このような放縦《ほうしょう》をいつまで許しておくのであろうか。

回転車に乗ったハツカネズミのように

それはさておき、不可能を可能にする男、それが不肖・宮嶋なのである。そのための安いギャラなのである。特にこの西川デスクの時代は……。

「はあ〜」

私は深い溜息を一つだけついて、ＢＭＷのハンドルを握り、一人、東名高速に向かった。とりあえず、現場の偵察と情報収集をしないことには話にならんのである。

横浜か川崎ナンバーというからには神奈川県警のはずだが、その管轄《かんかつ》内の高速道路だけで、東名、中央高速、第三京浜、首都高とある。ただし、東名川崎インターの横に神奈川県警高速警察隊の基地みたいなのがあるから、たぶん出没するのは東名であろう。それだけの根拠で東名に出掛けたのであった。

神奈川県下の東名高速は、川崎インターから大井松田インターまでである。私は大井松田で降り、Uターンして再び上り車線を川崎まで走った。そして川崎で降りてまたUターンして下り車線を大井松田まで走った。そして、また……。

まるで回転車に乗ったハツカネズミのように延々と走り続けた。朝から何往復したかわからんというのに、不思議なもんである。PC（パトカー）は、まったく現われない。違反して「あっ、しまった！　しかしまあ、こんなところにPCはおらんやろ」という時には必ず現われるのに、こちらが探している時には一向に姿を現わさないのである。

「まあ、初日からそう簡単に見つかるとは思えんし……、今日はしゃあないか」

日本の大動脈・東名高速も午後三時、四時になると、さすがに下りは交通量が少なくなる。ポルシェみたいなスポーツカーをビュンビュン飛ばしてる金持ちのドラ息子（たぶん）も見かけるのに、覆面パトカーは何をしとるんやろ？

それに社名の入ったライトバンはもっとスゴイ！　小さなエンジンに細いタイヤなのに、信じられんスピードである。荷物をいっぱいに積んで。私のBMWを追い越していく。納期に遅れず、お得意様に商品を届けようとしているのであろう。

（かわいそうにのう……、すまじきものは宮仕《みやづか》えとフリーカメラマンや）

彼らも「捕まっても、ワシは一切関知せんからな！」と上司に言われているのであろうか。サラリーマンとフリーカメラマンの私と、どっちがハッピーなんやろ？

そんなことを考えているうちはまだよかった。そのうち、どういうわけかラジオも耳に入らなくなった。いったい何時まで走るんや？　アホらしい……。このまま西へ走り続けて、しばらく顔を見ていない明石の老父母の所まで帰ったろか？　ル・マン二四時間なんて、どんな神経しとる奴がハンドル握っとるのやろ？

ノロノロ走ってもスピード違反

そんなことが頭に浮かんだ時であった。ものすごい勢いでライトバンが私のＢＭＷを追い越していったかと思うと、そのすぐ後ろを、これまたものすごい勢いでベンツが追走していった。

（エエのう、無邪気にとばせるヤツは……、うん？　ベンツ？　しかもシルバー！）

「でったあー！」

私は慌ててアクセルを踏み込んだ。ベンツの車内に二人の人影が見え始めた。

（二人乗車とは、ますますクサイ！）

そしてナンバーは……と、なかなか追い付かんぞ。一五〇キロ以上で飛ばしとるやないか！

「うん？　見えた！　川崎88？　やった！　捕まえたドォ！」

よーく見たら、ちゃんと天井にランプを収納するボックスもある。カモを捕捉するときに、あそこから天井にポコンとパトランプが浮き上がるのである。ベンツの天井に穴を開けるのはさぞかし根性が要ったであろう。収納式のパトランプをくっつけたり、穴を開けたりして、一応改造しているので88ナンバーなのである。

わざわざ目立つ88ナンバーにしているのは、やはりオノレらが交通取締りをやるので、厳密に交通法規を守らねばならんからであろう。

これが捜査車両などが緊急走行する場合は、よく刑事ドラマで見るマグネット式のパトランプになるのである。

しかし、やった、見つけた！と喜んでばかりもいられない。私の仕事は覆面ベンツを見つけるだけでないのである。交通取締りをやっている場面を撮らなければならん。

ベンツは明らかに前のライトバンに狙いを定めている。とその時、何を考えてか、ベンツは左にウィンカーを出し、海老名サービス・エリアに入ってしまった。ここは焦《あせ》ってはいけない。私はサービス・エリアに入らず、そのまま下り車線を走り続けた。

しかし、そこで大事な事に気が付いた。いったん追い越すと、撮れなくなってしまうのである。当たり前だが、高速道路上は全線駐停車禁止である。サービス・エリア以外には、タバコ、ジュースの自動販売機もレストランもトイレもないのである。

パンクの修理なんぞで、やむを得ず停まる場合は、三角マークの非常停止板を車の後方五〇メートルに立てなければならない。何気なく高速道路上に停まって、ベンツを待っていると、追い越すどころか、停まっている私のBMWのすぐ後ろに来てくれるであろう。もちろん停車違反の切符を切るために、である。ベンツにとっては、モロ飛んで火に入る夏の虫である。

私は免許取りたての頃、友人を成田空港まで見送って東京に帰る東関東自動車道で、あんまり眠いので、左端に車を停めて爆睡したことがあった。

安全運転のためには、そのほうがよいと思ったのだが、目が覚めると千葉県警のPCの中であった。

容疑はもちろん道路交通法違反、停車禁止違反、反則金一万円、減点一点であった。駐車禁止は聞いたことがあったが、停車禁止ちゅうのがあるのを初めて知った。まあ初心者とはいえ、おそれを知らぬというか、アホというか、高い授業料であった。

本題に戻ろう。停まってはイカンのなら、ゆっくり走ればよいではないかと思うのはシロートである。最高速度制限違反いわゆるスピード違反は子供でも知っているが、その反対の最低速度制限違反というけったいな違反がある。あまりノロノロ走ってもスピード違反なのである。

これは実に納得できん。そんな事を言ったら、渋滞でノロノロ運転になった首都高速上の車はすべて最低速度違反ではないか。いずれにしろ、一度ベンツを追い越してしまったら、もう待つことはできないのである。

ならば反対車線から撮るというのはどうだろう。隠密の追跡取材では、目立たぬよう反対車線から撮影することがある。

しかし、これも×である。一般道ではないから、次の信号でUターンというわけにはいかんのである。

Uターンしようと思ったら、次の厚木インターまで走り、そこで料金を払い、そして再び上り車線に乗るしかない。その間、ベンツがジッとしていてくれるとは、とても思えないのである。

前からも後ろからもヤレる

そもそも、たとえベンツが私のＢＭＷを猛スピードで追い越してくれたとしても、それをどうやって撮ればいいのであろうか？

私は大倉ではない（新潮社刊『不肖・宮嶋　踊る大取材線』の「防衛庁長官を追え！」をぜひ参照されたい）。このＢＭＷには、私しか乗っていないのである。ハンドルを握りアクセルを踏み込み、ファインダーを覗いてシャッターを切るなんて、自殺行為であろう。

（アカン！　こりゃあ、仕切り直しや！）

私はこの日の仕事を打ち切って帰社した。ここまできたらアホでもわかる。このオペレーションは一人では無理である。助《すけ》っ人《と》が要る。ピッタシの人物が誰か、読者の皆様はおわかりであろう。コールサイン・ツルこと大倉乾吾である。

なんで大倉かと言うと、第一に佐川急便の運転手をしていただけあって運転がうまい。第二に愛車がパジェロである。大倉はまるで三菱自動車の廻し者みたいに、ここ一〇年以上、パジェロに乗り続けている。

なんでパジェロがいいのか？　報道カメラマン志望の学生は、ここからの二ページを読むだけで本代一五〇〇円分の価値はある。

普通に思い付くのは、パジェロはRV車のわりに大馬力エンジンを積んでいて速いということであろう。しかし、そんなことはどうでもいい。ドンくさい奴はポルシェに乗ってもトロいが、アラン・プロストは軽自動車をコロがしてもムチャクチャ速い。弘法は筆を選ばんのである。

パジェロは車高が高くて視界が効く。たしかにそうだが、これは目立ちやすいという欠点と表裏一体であろう。そんなことは大したことではないのである。

では、パジェロが優れている理由は何か？　何を隠そう、パジェロは、♪後ろから前から、なのである。気持ちのよいことに、前からも後ろからもヤレるのである。

カー・セックスを思い浮かべた貴方、オノレの不謹慎を恥じなさい！

そのような意味ではない。ご存じのように、車のガラスは普通のガラスではない。事故に遭うことを想定しているので、とんがって割れないような合わせガラス（ビニールをサンドイッチにした感じ）なのである。

車からの撮影は、この合わせガラス越しに行なうのである。もちろん安全のため、視界はよい。サイド・ウィンドー越しの撮影は、ナマ（ガラスなし）より露出がほんの少し落ちるくらいで、白黒ならまったく問題ない。

しかし、フロントとリアが問題なのである。フロント・ガラスはサイドとまったく同じ材質だが、斜めになっていてフォーカスがこない、つまりピントが合わない。このため、どう頑張ってもシャープな像が撮れないのである。

ウソだと思うなら、望遠レンズを着けて、車の中からファインダーを覗いてみるとい い。肉眼ではクリアーに見えても、ファインダー内ではシャープな像を結ばないハズである。

これがリアだともっと悪い。くもりを取るためのデフォッガーという熱線が数センチおきに張られているのである。しかもたいてい傾斜角度がフロントよりキツい。したがってリア越しの撮影はまずムリなのである。

ところが、パジェロは（他のRV車もだが）その傾斜が垂直に近いのである。特にリアはほとんどサイドと変わらない。これはワゴン車も同様で、我々が張り込みにワゴン車を愛用するのは、快適さを求めているからだけではない。

ノーガキが長くなったが、今回のオペレーションにパジェロがいかに適しているかをご理解いただけたであろうか。言っておくが、私は三菱から一銭も貰ってはいない。もちろん、これからくれるなら、喜んで頂戴するが――。三菱の皆さん、よろしくネ！

恐ろしいほど単純なアホ

私はすぐに大倉に連絡を取った。

「仕事を手伝うてくれ！」

「何や？　何仕留めるんや？」

「いや、ワレ（キミ）の仕事は運転手や！　パジェロ付きで……」

「ドアホ！　ワシの職業はカメラマンじゃ！　税務署にもちゃあんとそう申告しておる。マル運（運転手の意）なんかと一緒にすな！」

運転手の皆さん、ゴメンナサイ！　私の言葉ではありません。大倉の言葉です。大倉は若い頃、佐川急便のマル運をやっていたので、近親憎悪で異常にマル運を嫌うのである。

「ほうか……、残念やな……、もちろんギャラも出るっちゅうのに……。それに相手はスペシャル・チューンナップされたメルセデスやで……」

ウソではない。パトカー用に改造つまりチューンナップされたメルセデスである。

「なっ、なにぃー！　ワレ（キサマ）、ワシのパジェロがベンツごときに後《おく》れを取ると思うとるんか？　ナメんなよ！」

恐ろしいほど単純なアホである。

「いやいや、君のパジェロはたしかに速い！　しかし、スペシャル・ベンツは神出鬼没や！　東名でこのベンツを追い越せるヤツはいない。事実、ワシは今日、見てきたばかりや！」

ウソではない。そんなことをすれば、すぐ捕まるであろう。

「やったろうやないか！」

「相手はＰＣやで――」

「ピィーシィー？　日本の警察の話ケ？　ベンツのＰＣやとぉ！　ますますオモロイやないか」

人間には二種類ある。一つは、困難にぶちあたった時、なるべく正攻法で、合法的に誠意をもって事に当たろうとする人間。そしてもう一種類は、目的のためなら手段を選ばず、狂犬のごとく非合法手段にも突っ走ってしまう人間である。

シブイ読者はおわかりであろう。私はもちろん前者なのだが、大倉をはじめとする同業者のほとんどは後者なのである。

「よぉーしゃ！　ＰＣなら相手に不足はない！　ブイブイ言わしたろやないか！」

すっかりヤル気を出した大倉のパジェロに乗って、私は、翌日再び東名高速に向かったのであった。

「犬のおまわりさん」とはよく言った

　我々の業界には勤務時間というのがない。事件が起これば夜中でも出動するし、張り込みの時は平気で徹夜を続ける。そのかわり、仕事がない時はいつまでも寝ている。眠い時が寝る時なのである。したがって時差ボケなんぞ、まったくしない。まぁ、一年中、時差ボケというのもいるが、それは修業が足らないのである。

　私は、仕事があれば起き続け、なければ眠り続ける。そしてハラが減ったらメシを食い、ヤリたくなったら女を買う。このような生活を「人間のクズ」と言う人もいるが、私はけっこう気に入っている。快適とは言い難いが、楽しいのである。

　これに対し、警官といえば犬……もとい！　立派な人間である。クズの私とは違ってマトモに暮らしていらっしゃる方々であろう。

　刑事課、公安部などは不規則の極《きわ》みかもしれんが、少なくとも交通課の皆様は、規則正しい健全な生活を送っておられるハズである。朝起きて、昼は働き、夜は寝る。そのような身体になっているハズである。

覆面PCによる取締りは二四時間やっているというが、昨日、私が目撃したのは午後三時から四時の間であった。たった一度きりだが、健全な方たちの規則性を鑑《かんが》みれば、覆面ベンツの出動時間はおおむねこの時間帯だと考えていいであろう。

とすれば、狙いは同じ時間帯である。撮影するという我々のミッションでは、午後三時から日没までの数時間が勝負。日が落ちたらゲーム・オーバーである。夜間は暗くて写真が撮りにくいばかりか、危険なのである。

我々はパジェロで川崎インターから大井松田インターまでを一往復したあと、流しによるキャッチを諦めた。どこにおってもベンツに出会う確率は同じだと悟ったからである。待機は海老名サービス・エリアの上り車線。昨日、ここにベンツがすべりこんだのだから、今日も同じことをする確率が高いのである。

警官といえども人間。小便もするし、喉《のど》が渇いて缶コーヒーが欲しくもなろう。そのような時、マトモな人間は、犬が同じ電信柱に小便をかけるように、いつも同じ場所を使いたがるのである。縄張り意識の強い官憲にあっては、なおさらであろう。まこと、♪犬のおまわりさんとはよく言ったものである。

覆面ベンツに狙われた！

停車位置は海老名サービス・エリア上り本線合流地点の手前。ここなら、問題のベンツを見付けたとき、すぐ飛び出していける。停まっているパジェロから見ると、脇を走り去っていく車は、ジェット戦闘機のようなスピードである。

午後四時を過ぎて日がかなり傾き、上りの交通量は少しずつ増えつつあった。しかし、ベンツは現われなかった。

読者の皆様は、ここで再び疑問に思われるであろう。いくらベンツが高級車だろうと、東名高速ではクサルほど走っているにちがいない。そんな状況で、飛び去っていく車の中から問題のベンツを特定できるのか？と。

それができるのである。我々報道カメラマンの、少なくともベテランの動体視力は凄まじい。東京拘置所に時速四〇キロですべりこんでいくセダンの後部座席、検事に両側を挟まれた被告人をサイド・ウィンドー越しに百発百中で撮影するのである。暗視力ではオスマン・サンコンに敵《かな》わないが、動体視力ならF—1ドライバーといい勝負と思っていただきたい。

それでも、肉眼で判別できるのは色と車種までである。時速一〇〇キロ以上で飛び去っていく車のナンバーなんぞ、読めるわけがない。そこでシルバーのベンツ300Eを発見したら、双眼鏡でナンバーを読み取る。88が見えたら即ダッシュというシブイ作戦である。

ただし、これも問題のベンツが我々の横を通ってくれた場合である。私と大倉は、四つの目を上り車線にクギ付けにしていた。

午後五時、まだ明るいが日没は近い。今日はダメかいな……。イヤイヤ来る！　自分にそう言い聞かせ、神経を奮い立たせていた時であった。

「でで……でっ……でったあ！」

「でで……でっ……でったあ！」

カエルの歌の輪唱のように、二人は同じ言葉を発し、パジェロの中で跳ね上がった。

「車種300E、色シルバー」

「車種300E、色シルバー」

「88ナンバー！　ターゲット確認！」

「おらあ〜、いったらんかえ！」

凄まじい勢いでパジェロは本線に躍り出た。ターゲットにどんどん近付いていく。私は後部座席に移り、撮影体勢に入った。交通量が少し多くなり、ベンツのスピードが落ちた。ターゲットの中まではっきり見える。ヘルメットを被《かぶ》ったブルーの制服……。間違いなくPMである。

車高の高いパジェロからは、天井の穴、パトランプの収納ボックスまで見えた。左ハンドル、ベースは市販のベンツとまったく変わりない。

「うん？」

増えてきた車に視界を遮《さえぎ》られて、一瞬、ベンツを見失った。

「どこや？　どこいった？」

「いや、近くにおるハズや！　前にはおらんが！」

「前に、いっ、いないーっ？」

二人の背筋にゾクゾクと悪寒が走った。リア・ウィンドーに掛けたカーテンの隙間を恐る恐る覗いて、私は絶句した。

「うぉー！　うっ、うしろじゃあー！」

パジェロのピッタリ後ろ、ルーム・ミラーのモロ死角に、覆面のベンツがいるのであった。戦闘機同士の空中戦（ドッグ・ファイト）では敵機に後ろを取られたらオワリだそうだが、まさに同じ状況ではないか。イヤーな感じである。

あんまり勢いよく飛び出て、しかもブッ飛ばしてきたので目立ったのであろう。覆面ベンツはこのパジェロに狙いを定めていたのである。

「おい！　大倉ヤバイ！　真後ろにおる。スピード落とせ！　左の走行車線に逃げ！　ウインカー、キッチリ出して、交通法規を順守してや！　後ろにPCやからな！」

パジェロはゆっくり左に逃げ、スピードを落とした。カーテンの隙間から私が覗いていたるのには気付かんのだろう、ベンツは斜め後ろをしつこく走ってきた。心臓に悪いドライブがしばし続いた後、ベンツは別のカモを捜すべく、スピードを上げ、パジェロを追い越していった。

一五〇キロのランクルをパクる

「マズい！」

大倉がわずかにスピードを上げながら言った。

「何がや？」

「横浜インターを過ぎた」

「それはまずい……」

神奈川県警が取り締れるのは次の川崎インターまでである。そのすぐ先は東京都で、警視庁の管轄になる。川崎インターを過ぎてしまうと、このベンツは取締りができなくなるのである。当然、私たちにも撮影のチャンスがなくなる。

「ヤバい！　川崎まで八キロ！」

「クッソォ！　せっかくここまできていながら……」

その時であった。前方を行くベンツがスピードを上げ、激しく車線変更を始めた。そうであろう。焦《あせ》っているのは我々だけではないのである。覆面ＰＣも管轄内の上り線で最後のカモを挙げたいのである。

大倉は目立たぬように車線変更をし、ベンツを私の望遠レンズのアングルに押し込めた。

「カモはあれや！」

ベンツの二台前のトヨタ・ランドクルーザーが飛ばしている。ベンツはトラックの死角からランクルの後ろにピタッと付いた。川崎インターが近付くにつれて交通量がまた少し増えた。ランクルのドライバーはミラーを見たのだろうか？　たぶん見たであろう。

そして自分の真後ろの車種なんぞ、すぐわかったハズである。目立つ銀色、フロント・グリル（ヘッド・ライトの間の飾り）にベンツのエンブレム。ガキでも知っているスリー・ポインテッド・スターである。これがPCとは夢にも思わないであろう。

ランクルは愚かにも、後ろのベンツを追い払うようにスピードを上げた。軽自動車なら、走行車線に逃げ、ベンツに道を譲ったであろうが、ランクルはパジェロに負けず劣らずの高馬力なのである。

「よっしゃあ！　エエゾ！」

「もっととばせ！」

もうベンツの中の二人のPMは、ランクルに注意がいっている。こちらも大胆に追い駆ける。ランクルが車線変更しても、ベンツはさらに後ろに付いていて、いわゆるアオッている状態である。しかし、ランクルのパワーはまだまだ余りあるハズである。

「よっしゃあ！　一三〇キロ！　いけ！　いけ！」

スピード・メーターを確認しながら大倉が叫ぶ。

「一四〇！　もうちょい！」

「川崎まで二キロ！　がんばれ！」

どっちを応援しているのかわからんが、とにかくもうチョイである。

「一五〇！」

大倉がそう叫んだ次の瞬間、ベンツが勃《た》った、もといベンツの天井にパトランプが立った。緊急走行である。

「やったあ！　ついにやったあ！」

「やったのお！　ギリギリやぞお！」

ベンツは時速一五〇キロでランクルをパクるのである。ランクルのドライバーには悪いが、我々はムチャクチャ喜んでいた。パトランプが赤色灯を点灯し、回転し始めた。ランクルのドライバーは今頃、目を点にしているであろう。きっと「ウッソだろう……、きったねぇよー」とガックリしているであろう。

「走行中のランクルの運転手さん！　スピードを落として、左の路肩に車を停めなさい！」

我々の車の中まで、ベンツのスピーカーからの声が届いた。もうランクルは万事休すであった。逃げようたって逃げられない。すでに川崎インターを過ぎているのである。

このすぐ先は東名高速の悪名高い東京料金所。料金を払うために渋滞しているハズなのである。

ランクルとベンツは料金所の手前二〇〇メートル地点で停車した。ギリギリである。

「よっしゃあ！　バッチリ押さえた！　前に回り込め！　充分に距離を置いてくれ」

料金所の手前で渋滞が始まっているので、パジェロがゆっくり前に回り込んでも、全然目立たんハズである。前からよく見ると、本当に異様なベンツである。天井の赤色灯は言うに及ばず、フロント・グリルの中でも赤色灯が点滅している。スピーカーもあの中にあるのであろう。

あわれ、ランクルのニィちゃんはスゴスゴとベンツの中に消えた。あの付近はおそらく一〇〇キロ制限、うまく言い逃れても二〇キロオーバー、二万円の反則金に減点二点である。今頃、ベンツの車内で切符を切られているであろう。

長居は無用である。ランクルのニィちゃんには悪いが、我々は意気揚々とその場を去った。

貰ったベンツの使い方

編集部に戻って西川デスクに写真を納品すると、発注しておきながら驚いていた。

ランクルの後ろにピッタリ付けてさんざんアオル。

一五〇キロになったところで、赤色灯を付けて前へ回る。

哀れ、ランクルの運転手は覆面パトカーの中へ。

「まさか、ホンマにこんなベンツがおるとは思わんかったわ……。しかし、それにしても……、こんなに早く仕留めるとは……、一週間はかかると思うたけどなあ」

私も後にも先にも覆面パトカーを尾行したのは初めてであった。写真が撮れてしまったので、今度は堂々と神奈川県警に問合わせができた。ネタは上がってるんですぜ、ダンナ……。

「いったい、あのベンツは本当におたくのベンツですか？」

「エッ、ちょっと待って……」

電話に出た係員は困惑しているようであった。そして、受話器から、私に喋っているのではない声が聞こえてきた。

（例のベンツの覆面について聞きたいと言ってるんだけど、「やってません」って答えるんだっけね？）

ご親切な係員であった。ホントのことも建前も教えてくれたのだから。そして受話器から、私への言葉が返ってきた。

「エー、その点については、広報していません。警察庁が一括購入して配置したので、そちらに聞いてください」

ご指示どおり、警察庁に電話してみた。

「コッチではわかりません。都道府県ごとにやってるんでしょう。えっ？　神奈川県警がそう言った？　そりゃ、よく訳がわからない人がでたんでしょう」

タライ回しにして、結局、何も教えてくれないのであった。編集部がメルセデス・ベンツ・日本に問い合わせると、ようやく真相が判明した。同社が警察庁に寄付したものだったのである。

「一〇台、寄付しました。警察庁と互いに口外しないように、との話があったので、今で公《おおやけ》にしなかったんですが——。何（車種）が何台とは言えないんですが……」

翌週発売の週刊文春のグラビア・ページに載った写真を見て、一番びっくりしたのはベンツの二人の警官とランクルのニィちゃんであろう。ベンツの二人は怒られたんやろか？

「アホ！　民間人に追跡されて、気が付かんかったんか？」

きっと西川デスクのような座りきりの上司に絞られたことであろう。辛いことである。

しかし、ランクルのおニィさんは自業自得である。一番悪いのはスピード違反をしたキミです。反省しなさい！　でもお気の毒だから、一万円のモデル代をお支払いします。今からでもいいですから、車検証のコピーをクレア編集部の西川編集長までお送りください。

私はその一年後、自分のカネでベンツを買った。神奈川県警交通課の皆様におかれましては、今後も取締りに励んでいただきたいが、貰ったベンツで買ったベンツを捕まえてよいかどうか、そのことをよーくお考えいただきたいものである。

8、ダッチ・ワイフと真珠を持って！

――南極観測隊同行ウラ日記・前編

研究テーマは「極地における人間の性欲」

私が彼《か》の白い大陸を訪れたのは、今をさかのぼる四年前のことであった。第三十八次南極観測隊にオブザーバーとして同行が許されたのである。

選抜された隊員は、オゾンホール、オーロラ、大気や雪氷の観測など、近い将来、世界中の人々の役に立つような研究に励む専門家ばかり。

日本の頭脳と呼ぶにふさわしい方々が、各自研究テーマを決め、一年以上の長い越冬期間中も、その道を究《きわ》めんと日夜研究に没頭されるのである。

オブザーバーとはいえ、私も何ぞ研究テーマを持たないと、せっかく同行を許してくださったお国の役に立てない。

しかし、不肖・宮嶋、オーロラやオゾンホールなどの自然現象や環境問題にはまったく興味がない。ペンギンやアザラシには、たとえ相手がメスであっても、まったく関心がないのである。気になることと言えば、やっぱりアレであろう。

という訳でぇ！　私は「極地における人間の性欲」に興味を持ったのである。なんちゅうても、雪と氷の世界、ウイルスさえ存在できない白い大陸で、女《おんな》っ気《け》なしの四ヵ月、人によっては一年四ヵ月である。排泄《はいせつ》以外には自分のモノを四ヵ月間も使用しないなんて、長い人生でも間違いなくこの時だけだったからである。

そして、四ヵ月の南極生活を体験した私は、この崇高な研究テーマに関して、驚くべき研究成果を得たのであった。

ところが、残念なことに、それを詳細に発表する機会がなかった。多くの読者はすでに拙著『不肖・宮嶋　南極観測隊ニ同行ス』（新潮社刊）をお読みであろう。三〇〇ページにわたる名著だが、その中にわが研究テーマに関する記述は数ページしかないのである。

なぜ、そうなったか？　担当編集者がウラ若き女性であったためでは、けっしてない！　その方があまりの猥褻《わいせつ》とくだらなさに柳眉《りゅうび》を吊り上げ「ボツ！」とお叫びになったからでは、断じてない！

立場を弁《わきま》えたのである。私の任務は、酷寒の地で忠勤に励む隊員の姿を報道することなのである。そして、全人類のために研究を続ける隊員の方々の任務に比べれば、オブザーバーたる私の個人的興味など、屁のようなもんなのである。不肖・宮嶋、そのように判断して、オノレをコロし、貴重な紙幅を観測隊の皆様に譲ったのであった。

だが、その務めを果たした今、読者はしばし私の研究テーマに付き合うべきである。極地における人間の性欲について語られた文献など、他にはないからである。

なぜ「オランダ人妻」と呼ぶのであろうか

用意周到な私は、個人的研究テーマに合わせて二つの材料を用意することにした。

さて、ここで連想ゲームである。

「読者の皆さまは、南極と言えば……？」

よもやオーロラとかペンギンとか、しょうもないもんを思い浮かべた方はおられなかったと信じる。教養ある方々の頭を真っ先に過《よぎ》ったのは南極一号、つまりダッチ・ワイフであろう。そう、研究材料の一つはダッチ・ワイフである。

これについて、私は長年、疑問に思っていた。どうして、あのような人形をダッチ・ワイフ、すなわち「オランダ人妻」と呼ぶのであろうか？

不肖・宮嶋、世界三〇ヵ国以上で、女性との国際親善に努《つと》めてきたが、残念ながらオランダ人女性とは未《いま》だ親善がない。オランダといえば首都はアムステルダム。アムステルダムといえば、ご存じ世界最大の飾り窓通りである。当然、私が取材の足を伸ばしていて然《しか》るべき場所なのだが、実は行ったことがない。お隣ドイツのハンブルクはレーパー・バーンの飾り窓の完全征服に没頭していて、オランダまでは目が届かなかったのである。

オランダの女性は皆、あの人形のようにマグロなのであろうか。皆、イク時あんな口の開き方をするのであろうか。英国でもやっぱり「ダッチ・ワイフ」と呼ぶのであろうか。いや、日本ではイタリア製の西部劇をマカロニ・ウエスタンと呼ぶが、英語ではスパゲティ・ウエスタンと言う（ホント）ぐらいである。別の呼称があるのかもしれん。

「支那そば」がダメで「支那竹」はいいのか

かつてソープランドがトルコ風呂と呼ばれていたころ、日本に留学中のトルコ人青年がその事実を知ってしまい、ビックリして新聞社に投書したことがあった。それをきっかけに日本特殊浴場組合はトルコ大使館まで巻き込み、新たな名称を一般公募。そして、トルコ風呂はソープランドとなったのであった。

なんで私がそんなことに詳しいかというと、赤坂プリンス・ホテルで行なわれた新名称発表の記者会見に出席したからである。これと同じように考えれば、オランダ大使館はメーカーや日本国民に「ダッチ・ワイフなんて呼ぶな！」と抗議すべきであろう。

しかし、もっと考えたら、そんなことを気にしていたらキリがない。国名や地名を冠した変な言葉がけしからんのなら、南京虫、チョウセンどめ、ロシアン・ルーレット、ベルギー・ダイヤモンド、ボボ・ブラジル、ジャーマン・スープレックス・ホールドなどは、みーんな使えなくなってしまう。

この頃は「支那そば」と書いてはいけないそうだが、「支那竹」ならいいそうである。テレビの料理番組でも「支那竹」と言っている。なんでそうなるのか、私にはまったくわからん。

しかし、クィーン・エリザベス石庭だけは不敬罪であろう。007ことジェームス・ボンドが襲撃に来ないのが不思議である。ロンドンに皇后陛下のお名前を冠したラブ・ホテルが出現したら、私はカメラと愛銃（ベネリーM3スーパー90！）を手にドーバー海峡を渡るであろう。

それはともかく、どなたかダッチ・ワイフの由来《ゆらい》をご存じの方は、ぜひご教示ください。それともオランダ大使館に電話してみようかいな。

さて、なぜ世間の人が南極と聞くとダッチ・ワイフを連想するようになったたか。私の鋭い分析では、西川デスクの大好きなエロ本の広告ページの影響である。

「南極観測隊員もご愛用！」「南極探検隊御用達！」などというキャッチ・フレーズがおどっていたのを、私も隣から覗いたことがある。商品名にも「南極二号」とか、もっといかがわしいのは「南極Z号」というのまであった。

ホンマやろか？　南極観測隊やその主管官庁の文部省が税金でダッチ・ワイフを購入しているのであろうか、俄《にわか》には信じられん話である。

しかし、驚くべきことに、南極観測隊は、本当にダッチ・ワイフを連れて行ったことがある。そして、私の調査によると、それに関する恐るべき事実がいくつもあった。

私がオブザーバーとして参加したのは、第三十八次隊である。途中、二年の空白期間があるので、日本が南極観測を開始してから四〇年の年月が過ぎていた。つまり第一次隊は四〇年前なのである。

四〇年前といえば、携帯電話どころか電子レンジもカップヌードルもなかった時代である。当時の日本人にとって、南極に行くのは月に行くに等しかったのである。ただ行って帰って来るだけではない。第一次隊は雪と氷しかないオングル島に基地を作り、そこで越冬して来なければならなかったのである。

晴海《はるみ》から「宗谷《そうや》」が出港するとき、隊員本人はもちろん、見送った家族までもが、二度と祖国の地は踏めまいと覚悟したそうである。越冬隊長の西堀栄三郎氏はヘビー・スモーカーのため、大量の缶ピースを「宗谷」に積み込んだという。

南極一号、試し乗り事件

タバコだけではない。この常冬《とこふゆ》の大陸での衣食住すべてについて未知だったので、今となっては笑い話にしか聞こえんようなものまで「宗谷」に積み込んだのである。

その一つがダッチ・ワイフであった。「南極観測隊もご愛用！」というエロ本の広告は、あながち丸ウソではないのである。しかし、いくら当時でも、ダッチ・ワイフなどという名目では大蔵省が予算を付ける訳がなく、「温水循環式等身大人体模型」という名目でアメリカから輸入したのであった。ウソではない。ちゃあんと一次隊員の手記に記《しる》されている。

もちろん、我が国の国家財産の目録にもそう記載されたシロモノである。そこらのエロ・ショップでボォ〜と口を開けているマヌケヅラの安物なんかではない。その名の通り、寒い南極で冷たい思いをしないよう、内部にお湯を循環させるハイテク・サイボーグであった。ハダ触りもスベスベで、それはそれは名器であったろう。

四〇年前にウン十万円したそうである。あまりに高価なため予算オーバーとなり、泣く泣くその温水循環式等身大人体模型は膝上だけになったという。それを二人、もとい二体、「宗谷」に積み込んだのである。

ここまで読んで笑っている人、笑いごっちゃないんやでぇ！　四〇年前の話やて言うたやろ。当時、月に行くのと同じ覚悟だった隊員たちにとって、下半身方面の不安もそれだけ深刻だったのである。

さて、その二人の金髪（アメリカ製だから当然そうであろう）美女は、その後、数奇な運命を辿《たど》ったのであった。その一人に、聞くも哀れな事件が起こったのは、南極までの航海中のことである。当時「宗谷」を運用していた海上保安庁のある乗員が、たまらず（いや、タマッてしまって）試し乗りしてしまったのだという。

その後、彼女には誰も手を出さなくなってしまった。そりゃあ、そうである。ヒトのオンナに手ぇ出したらアカン。それに、たとえサイボーグ並みの精巧な人形といえど、やっぱり処女がエエに決まっている。「処女なんて死語だ」と言うアンタ、四〇年前の話だと言うとるやろ！

そして、その一発後、なぜかヤッテしまった乗員も手を出さなくなったという。名器のハズなのに、そうではなかったのであろうか。

事件の核心はここからである。なんと、放置された彼女から異臭《いしゅう》が漂い出してしまったのであった。キレイに洗ってやればよかったのに、一発抜いた乗員には後戯《こうぎ》を施《ほどこ》す余裕が無かったのであろう。

悪臭は隊員の士気に拘《かか》わるほどヒドイものであった。このままでは国を挙げての大プロジェクトが潰《つい》えてしまう。観測隊は、泣く泣く彼女を水葬に付したのであった。もちろん国民の税金で買った日本国の貴重な財産である。それはそれは手厚く葬《ほうむ》ったという。

しかし、人形でよかった。これが人間であったら、とんでもない話である。下心丸出しで船に連れ込み、アソビで一発やった後、臭いからと南の海に沈めてしまったなんて、従軍慰安婦問題も真っ青な犯罪行為である。

さて、もう一人はどうなったかと言うと……、話は急にミステリアスになる。彼女は無事、一次隊員とともに帰国し、文部省か大蔵省のどこぞの倉庫でクモの巣が張っている、なんて思っていたら、さにあらず。南極に到着した彼女は、昭和基地を建てた東オングル島の向かいの島に秘かに隠匿《いんとく》されたというのである。実行犯は一次隊の一部の者と噂されているが、定《さだ》かではない。

その折り、この島が弁天島と名付けられ、現在もそう呼ばれているというから、この話は信憑性《しんぴょう》が高いと判断される。その後、高価な国家隠匿物資を巡《めぐ》って、何度か弁天島に調査隊が派遣されたが、今に至るも彼女は発見されていない。この尊い二人の犠牲に鑑《かんが》み、第二次隊以後、前回の第三十七次隊まで、南極観測隊は人体模型を連れて行くことがなかったという。

「国際線スチュワーデス麻衣ちゃん」

時はめぐって四〇年。彼の純白の大地に再びダッチ・ワイフを連れ込もうとする偉大な計画が立てられた。

「南極大陸で南極二号とともに記念撮影せよ！」

週刊文春の西川デスクが発した、気マグレとしか思えん言葉がきっかけであった。早速、私は東洋一の歓楽街・歌舞伎町に出掛け、南極二号を探し求めた。ところが、あまたあるエロ・ショップにまったく見当たらない。いないのである。

聞けば、南極二号はもはや製造されていないという。二号がいなければ三号でも四号でもよいのだが、残念ながら、それもいないのであった。

やむなくダッチ・ワイフなら何でもいいやと思ったら、ピンキリであった。ピンはウン十万のプヨプヨ肌触り。キリは一万円以下の風船式である。いくら船に積み込むといっても、あまり嵩張《かさば》るのは困るので、一万五〇〇〇円ナリの風船式を選んだ。その名もズバリ！「国際線スチュワーデス麻衣ちゃん」である。

麻衣ちゃんは、ちょうどバスケットボールを箱に入れたような状態であった。箱の表紙には、J＊Lそっくりの制服に身を包んだ三流モデルがニッコリ微笑み、裏では同じモデルが制服を脱ぎ捨て、巨乳のナイス・ボディーを晒《さら》していた。

箱の中身は表紙のモデルとは似ても似つかぬ顔である。お馴染《なじ》みのボォーッと口を開けたマヌケヅラで、体はその下にキチンと折り畳まれていた。

しかし！この麻衣ちゃんには、とんでもない秘密が隠されていた。なんと電動マルチバイブレーターなるものが仕込まれていたのである。そこに指を入れてみると、確かにナニかある。どうやらエロビデオによく出てくる小さな楕円形《だえんけい》のバイブレーターであった。目は、立てば開き、寝かせば閉じるというリカちゃん人形のような子供騙《だま》し。指はなくて、ドラえもんの手に近い。空気の吹入れ口がヘソの部分にはあるのはご愛嬌だが、こんなグロテスクなもんと一発ヤレる奴の気が知れん。

しかし……、わからんゾ……。雪と氷に閉ざされた世界なのである。オンナはいないのである。現に南極一号の処女を奪った男もいたのである。それも南極に到着しないうちに、である。このマヌケヅラがとんでもない美人に見えてくることがあるかもしれん。

「国際線スチュワーデス麻衣ちゃん」を抱いて南極大陸に立つ不肖・宮嶋の雄姿。見たところ、かなりの上付きだが、結局、誰もお世話にならなかった。

許せんことに、箱の中には制服が入っていなかった。私はてっきり麻衣ちゃんに着せるための、J＊Lそっくりの制服が入って一万五〇〇〇円だと思っていた。制服が入っていないんだったら、この「国際線スチュワーデス」という名は何なのか？

ふーむ？　さては、女なんぞスッチーだろうが、女子アナだろうが、パンスケだろうが、服を脱がせば皆同じというダッチ・ワイフ・メーカーの鋭い教えではなかろうか。

ともかく、私は一万五〇〇〇円ナリを払い、麻衣ちゃんを身請《みう》けし、キッチリ領収書をもらった。そして（株）文藝春秋に経費として請求した。「南極大陸で南極二号とともに記念撮影せよ！」というのは西川デスクの極秘命令なのだから、当たり前である。

経理は「ダッチ・ワイフ一体一万五〇〇〇円也」の私の請求書を見て目をヒン剝いたことであろう。文句を言われたら「電動マルチバイブレーター付き空気注入式等身大人体模型・国際線スチュワーデス麻衣ちゃん」と書き換えようと思っていたのだが、スンナリ通ってしまった。やはり南極といえばダッチ・ワイフなのである。

かくて（株）文藝春秋の所有物となった麻衣ちゃんは、晴海埠頭《ふとう》で「しらせ」の私の船室に積み込まれ、南極大陸に向かって出発したのであった。

断っておくが、私は麻衣ちゃんとは同行しない。後から飛行機でオーストラリアに飛び、「しらせ」の寄港地であるフリーマントル港から乗艦する。

なぜかといえば、それは万一ということも考えられるからです。私が麻衣ちゃんと同室にいたら、もしかして……。

南極到着前に処女を奪い、水葬に付した南極一号の轍《てつ》を踏むわけ[illegible]かんのである。

女どもを奴隷のように傅《かしず》かせる

さて、ダッチ・ワイフの話が長くなったが、読者はもう一つの研究材料[illegible]るであろう。それは何を隠そう、真珠である。スルドい方は、この一言です[illegible]くださったハズである。私は、かねて気になっていた仮説を我が肉体を使っ[illegible]い[illegible]たのである。その自己犠牲的、崇高な実験とは、ズバリ！　チン玉入れである。

チン玉と聞いてパチンコ玉だと思ってしまう方のために、少し説明しておこうとは陰茎の一部もしくはグルリ一周に真珠を埋め込み、それによって生じた突起部[illegible]り、性交時、女性器との摩擦を増大させ、女性を快感の絶頂に導こうという、まあ、バイアグラと同じ一種の反則技のことである。

もし、それが事実なら、世の男どもは包茎手術とともに皆こぞってチン玉入れを行なうハズである。ところが、私の周りでは真珠入りのモノを持つ男がいない。というのは、このチン玉入れを実行に移すのは、ある特定の経験を持つ方、つまり刑務所に入ったことのある方ばかりだからである。

私は、これまでシャバのシロートが想像もできんような凄まじい経験をしてきたが、いまだ刑務所内の体験取材はしたことがない。中にいた人たちから漏れ聞こえてくる話によると、刑務所の中ではチン玉入れが大流行だというではないか。

なんちゅうても、刑務所の中では、一部の特殊な趣味を持つ方々以外、陰茎を使う排泄のときだけである。したがってチン玉入れには、絶好のチャンスなのである。

ところが、日本の刑務所は先進国の中でも一番規則が厳しい（らしい）。あのア ィが憂《うれ》うぐらいである。医者が麻酔を射《う》って、メスで切開し、真珠を埋めた せてくれる、なんてことはあるわけがない。そもそも刑務所の中には真珠 どころか、売店すらないのである。

そこでチン玉入れを決行せんとする受刑者は、まず玉の制作をし ならない。官から支給された歯ブラシの柄などを折り、看守の目を盗んでコン トの壁などで丸くなるまで削る。仕上げは歯磨き粉でピカピカになるまで磨くのだという。

そしてトイレなどで一人になった時、隠し持っていたガラス片などでオノレの陰茎にプスリといく。当然、麻酔なんぞなしに、である。切り裂いた皮の間に玉を埋め込み、あとはツバを付けて終わり（よい子は決してマネをしないでください）。身の毛もよだつような方法で、自分でやるのである。

たいていの場合、一個目を埋め込むのは陰茎中程《なかほど》の上部だという。正常位で女性が最も感じやすいとされている部分に当たるようにするためである。

マキロンもない刑務所の中では、傷口が塞《ふさ》がるのもシャバより時間がかかる。せいぜい一ヵ月に一個が限度らしい。それでも刑期が長いと、このチン玉が陰茎を一周してしまうのである。一周しても刑期が残っていると、さらに一周。しまいにはチン玉だらけ。まるでトウモロコシかブドウの房のような、もの凄いことになるのである。

なぜ、激痛に耐えて、そのような醜悪なモノを作るかは言うまでもあるまい。シャバに出たら、もうヤッてヤッてヤリまくって、女をヒィーヒィー言わすという楽しみのためである。ゲに恐ろしきは男の一発への欲望である。

男ばかりではない。一度、真珠（歯ブラシの柄）入りの味を覚えてしまった女は、あまりに強烈なその快感が忘れられない体になり、チン玉男から離れられなくなってしまう……

というのである。

なぜ、私がこんなに詳しく知っているかというと、長期間、刑務所内に住まれた方を採し、入念に情報収集したからである。

それが真珠なら、もとい真実なら、オイシい話ではないか！　不肖・宮嶋、逃げられた女の数は、両手の指では足らん。足を入れても足らん。そのような女どもを、もう、奴隷のように傅《かしず》かせることができるのである。

それに、刑務所の中の方たちは歯ブラシの柄を使わねばならんが、南極へ行く私は本物の真珠を使える。どう見ても、こちらのほうが高性能であろう。楽しみなことである。

「キミのために、南極で仕込んだんだ！」

という訳で、私は崇高な研究テーマを胸に秘めて成田を発ち、空路、オーストラリアへと向かった。着陸地は地図でいうとオーストラリア大陸の左下、パースである。「しらせ」はパースの隣町のフリーマントル港に寄港し、一息入れて、南極に突っ込むのである。

パースは、あの兼高《かねたか》かおるが「もし住めるのなら、ここに住みたい」と言った（らしい）、そりゃあ、きれいな町である。世界何百ヵ国かを廻ったオバさんが「住みたい」とまで言うのである。メシはうまいわ、気候はエエ、何やのんび～りしていて治安も良さそうであった。

しかし、のんびりしている場合ではない。真珠を探さねばなせん。日本ではダッチ・ワイフを入手すべく歌舞伎町を走り回っていたので、探す時間がなかったのである。それに真珠は日本で買うよりパースで買ったほうが、あとあと都合がよいのである。

なぜかって？　それは今後の展開を予想すればわかるではないか。無事、玉入れ（ガキの運動会の、ではない！）が済んだら、日本に帰ってヤリまくるのである。

「オーストラリアでお土産の真珠を買ってきたよ！　使ってくれるかなぁ？」

そう言えば、たいていの女はイソイソと会いに来るであろう。ほんでもって、タップリ使って差し上げるのである。真珠入りの不肖の息子は絶大な威力を発揮し、女ども（同時に二人以上というのではない。同じ展開を複数回繰り返すという意味）はヒィーヒィー言うであろう。

「どないだ？　真珠は？」

女は息も絶え絶えに答える。

「スゴイわ！　こんなの初めて！」

その時、言うのである。

「キミのためにパースで買って、南極で仕込んだんだ！」

そこで、美しいパースの話なんかして、トドメの一発、もとい一言。

「もう一度、行きたいんだ……、キミと……」

完璧である。こうなれば、クレアなんぞを読んでいるインテリ女だって、もうイチコロであろう。身も心も私から離れられなくなり、奴隷のごとく傅くようになるである。

そこで！　不肖・宮嶋、パースの中華街を走り回り、大枚二〇オーストラリア・ドル（一三〇〇円くらい）をはたき、真円の天然真珠一個を手に入れた。当然、直径一センチという、店で一番デカイのを選んだ。この際、色や輝きはどうでもよい。サイズと形こそが重要なのである。四ヵ月後に訪れるであろう性生活の劇的変化を想像し、思わず微笑が零《こぼ》れるのであった。

文明の水準は売春システムの洗練度に比例する

さて、ここで「しらせ」がフリーマントルに入港し、南極に向かってを出港するまでの数日間について書いておかねばならない。それは、私が崇高な任務を全《まっと》うするため、英気を養っていた最後の数日間である。

なんちゅうても、町の名前からして、フリーのマンをトルなんて、とてつもなく思わせぶりではないか。しかも、小さくとも港町なのである。「しらせ」だけが寄港しているわけではない。海の男たちが上陸して一息いれるのである。

となれば、森進一も歌っているように、港町に女は付き物である。それはモーニング・セットのコーヒーとトーストのような関係であって（どっかで書いたのぉ）、洋の東西を問わないハズである。

ミツバチは小さな身体で何キロも離れた花畑を見つけ、サケは必ず生まれ故郷の川に帰ってくる。ゲにおそろしきは動物の本能。私は思《おも》っクソ自慢の鼻を利かせ、本能に任せて小さな町を彷徨《さまよ》った。そして、繁華街の北のはずれ、街灯も消えかかった一角に吸い寄せられていったのであった。

もう一キロも手前からプンプン匂う怪しい安《やす》香水の香り。思わせぶりなピンクのライト。私はたちまちアダ・ローザ・スタジオ二〇六というパラダイスを探し当てたのであった。

ドアを開けると、金髪の品の良いババアが顔を出し、すぐに待合室まで案内してくれた。

「ようこそいらっしゃい。女の子、すぐ呼ぶから……。それまで何かお飲みになりますか？」

豪華な皮張りのソファでふんぞりかえって、コーヒーを啜《すす》っていると、五人くらいのネエちゃんが次から次へと待合室に顔を出した。スケスケ下着姿で、スタイルまで吟味《ぎんみ》できる。言うまでもなく、気に入ったのと奥の個室で仲良くなれるのである。

もうカユい所に手が届くというか、裏スジまで丹念にナメてくれるようなお心遣いで、至れり尽くせりである。

ここで読者は第六話のマニラはキアポの売春窟を思い出すべきである。文明の水準は、女を買うシステムの洗練度に比例する。文明の水準の低い国ほど、いろいろな意味でアブナイのである。それに対し文明国では安心して遊べる。しかも、ここ（フリーマントルのある州）では、こういうビジネスが合法である（らしい。万一、この店の女の腹の上か下で当局に捕えられても、私は一切関知しない）。

これから四ヵ月間、メスはペンギンとアザラシしかおらんのである。ゼニはあっても使うところがない世界で過ごすのである。私は、朝も昼も夜もオーストラリアの美しい海で獲《と》れた生ガキを食いまくり、腹が一杯になると、別の貝を食い狂ったのであった。

年増系のテクニシャンを選ぶ

若い身空《みそら》で、オーストラリアのワーキング・ビザを取って……などと考えているノルジヨアのガキ学生は、ここから先を読んではいけない。

若いんだから、オーストラリアの素人娘をタダで狙うくらいの日本男子の甲斐性を見せなアカン。こういう店は大人の最後の憩《いこ》いの場、病院みたいなもんなのである。

アダ・ローザ・スタジオ二〇六のネェちゃんたちは、全員地元オーストラリアの他の町出身である。ここで「若いのがいい」とか「美人じゃなきゃヤダ」なんてぬかす輩は青い青い。任務を全うするための英気を養いに来ているのである。ゼニまで使って、若いクソ生意気な娘に気を遣《つか》うのは愚の骨頂《こっちょう》であろう。

売り物に買い物とは言っても、人間の男と女のすることである。人情の機微《きび》ちゅうもんを弁《わきま》えたベテランを選ぶべきなのである。私はリサという、ちょっと年増系のテクニシャンを指名したのであった。

二回目に行ったときも脂のノッタ年増で、名前はリンダ。どういうわけか、私はイニシャル・Lで始まる女を選んでしまうようである。三回目以降は、この二人のうちのどちらかを指名し続けた。こんなことでも、気心が知れるというのはいいもんなのである。

一応、二四時間営業を謳《うた》っていたが、やはり女の子が揃《そろ》うのは夕方からである。日が暮れてからの待合室にはいつも客がいたが、ジモピー（地元ピープルの業界用語）の他に、一目見て東洋人とわかるグループもいた。

日本人にしては、やけに色が黒い。出稼ぎのフィリピン人やろか？　と思っていたら、何と強烈なナマリの日本語をボソボソと喋《しゃべ》っておられた。

「ちょっと、ちょっと、ダンナ方、日本の方でっかいな？」

私はこういう時、ついつい口調がポン引きになる。

「なんだべ？　アンタも日本人だったべ。船は何だべ？」

「『しらせ』ですがな。皆の衆は？」

「何だべ。南極観測の方だったべ。うちらはマグロ船だべ。すんばらく陸《おか》ともお別れだんべ、毒気抜きだべ」

そうであった。フリーマントルがマグロ漁船の基地でもあるのを忘れていた。漁師たちは重労働の合間に、ここで休憩するのである。しかし、如何《いかん》せん、人口数千の小さな町である。アダ・ローザ・スタジオ二〇六には、リサとリンダの他、数名の女の子しかいない。そこにジモピーはもちろん、マグロ漁船のおっさんや、南極で何ヵ月も過ごす男たちがドッと押し寄せているのである。

当然、アブレる男たちも出る。そういう連中は泣く泣く電車に乗って、隣町のパースまで出掛けて行かなければならない。なぜ「泣く泣く」かというと、パースは空港があるような西海岸を代表する大都市で、料金もフリーマントルより一〇ドルほど割高だったのである。

私のように指名するネェちゃんが決まっていると電話予約ができる。店のオーナーの金髪遣り手ババアに時間を言っておけばＯＫ。その時間に店に行けば、すぐヤレる。

楽しいお店のサービス・メニュー

遅ればせながら、ここらで皆さんが最も興味のあるところ、こういったオーストラリアの楽しいお店のサービス内容について説明しておこう。

待合室でネェちゃんを選ぶと、奥の個室に連れて行かれる。個室が二階の店もあるが、アダ・ローザ・スタジオ二〇六は待合室の奥が個室であった。うす暗いピンクのライトが怪しげであるが、その個室備え付けのシャワーを浴びると、準備を整えたネェちゃんがベッドで待っている。まぁ、ごく普通の流れで変わったことはない。

もちろん、料金は万国共通の先払い。当時はノーマルで九〇ドルであった。一オーストラリア・ドルが六〇円くらいだったから、まあ日本円で五〜六〇〇〇円といったところである。もしかしたら、オリンピック便乗値上げがあったかもしれないので、現在はこの限りではない。

ノーマル料金というのは一時間コースである。ノーマルがあるなら、アブノーマルもあるのかというと、もちろんあった。なんと三輪車、男二人に女一人、または女二人に男一人、オールナイトにレズ・ショウ付き……、全部書き上げたら、そこらの喫茶店のメニューぐらいになろうかというくらい、何でもアリ。料金も事細かに決められていた。

なんで私がそんな細かいことまで知っているのかと言うと、ゼンブ試《ため》してみたから、ではは断じてない！　ベット・サイドに料金表が貼ってあったのである。しかもご丁寧に英語と日本語が併記されて！

誰が翻訳したのか、しっかりワープロ打ちされた、ちゃんとした日本語であった。どう見ても、日本人の男の仕業《しわざ》である。言っておくが、私が料金をマケてもらうためにやったのでは断じてない！　それはともかく、アダ・ローザ・スタジオ二〇六は、日本人がお得意様の真《ま》っ当《とう》な売春宿であった。

馴染みのパンスケが波止場に並び

私がシャバにいられる時間がなくなってきた。明日はいよいよ「しらせ」に乗り込むという日、当然のこと、私はシャバ最後の夜をアダ・ローザ・スタジオ二〇六で過ごした。

リサとリンダには、すっかり情が移ってしまった。異国の港町のパンスケといえど、一再ならず肌を合わせた女たちである。今日をかぎりの別れとなれば、惜別《せきべつ》の情、また一入《ひとしお》なのであった。

「ミスター・フォトグラファー、お名残《なごり》惜しゅうございます」

二人は声を揃えて言うのであった。なかなかエエ場面ではないか！　もしかしたら、この本のクライマックスかもしれん。

「世話になったのお――」

私は二人にたっぷりチップを放り投げ、最後の仕上げにかかった。

「エエか！　明日朝十時、『しらせ』の出港を見送りに来い！　わかっとろうな！」

潜水艦映画の名作『Uボート』の出港のシーンでは、馴染みのパンスケがズラリと波止《はと》場《ば》に並び、クルーを見送っていた（ような気がする）。

同じく『モロッコ』のラスト・シーンでは、サハラ砂漠に出動していくフランス外人部隊のあとを馴染みのパンスケが付いていった。主演女優のマレーネ・ディートリヒが、情が移ってしまった主演男優のゲーリー・クーパーのあとを追い、ハイヒールを脱ぎ捨て、熱砂の風の中を歩き出すのである。

二度と生きて帰って来ないかもしれない男たちを見送る女たち。あるいは付いて行こうとする女。なんちゅうシブい光景であろう。これから私も、その主人公になるのである。

平和ボケの国で無為に時を過ごしているヤツに限って「男の出発《たびだち》にパンスケを立ち会わせるなんて、不謹慎な！」などと言うであろう。

確かに先《さき》の大戦では、特攻隊員たちは一人静かに人生最後の夜を過ごされたと聞く。眠れぬ夜を家族への遺書を書くことに費《つい》やされたと聞く。なぜ、そのような見事な死に際《ぎわ》でいらっしゃったか。それは、自らの命を捨ててでも守るべき国体（国民体育大会だと思った読者はおらんであろうな！）が、そこにあったからである。

しかし、それから五十余年の歳月が流れ、わが国体は見るも無惨に崩壊したのである。

脳味噌が筋肉でできている男が首相となり、ガキどもは日本語の読み書きすらできず、乞食同然に路上に座り込むようになったりである。

パンスケに見送られようとする不肖・宮嶋を嘆《なげ》く前に、そのような連中を始末すべきであろう。私だって、本当は惚れた女に来てもらいたいところだが、ジョディ・フォスターもメグ・ライアンも来てはくれんやろ。そこで泣く泣くリサとリンダに見送りを頼んだのである。

そして、ついに運命の朝がやって来た。すべての準備を整えた「しらせ」は予定どおり、定刻にフリーマントル港の岸壁を離れようとしていた。

波止場に立って「しらせ」を見送る人影はわずか数十人。現地日本人会のみなさんと、「しらせ」乗員のために艦まで行商に来ていた土産物屋の日本人アルバイトのニィちゃんたちであった。そして「がんばってください」と書かれた手作りの横断幕。

一メートル、また一メートルと「しらせ」は岸壁から離れていく。私はデッキから必死に目を凝《こ》らし、リサとリンダの姿を探していた。

その時「シゲーキ！　カァム、バァーック！」という女の声が港に響き渡り、デッキに立つ私は女たちに背を向けたまま、ジッと海の彼方《かなた》を見ている、というシブーい展開になるハズであった。

しかし……、いくら目を擦《こす》り、キョロキョロと見回しても、おらんもんはおらん……。

これだから、女は信用できん！　夜の女は朝が弱いという、世界の常識を無視した私が未熟であった。次回からは、チップは波止場で渡すという作戦に変更せねばならん。

それにしても、これから白い地獄に向かう男たちを見送るにしては、あまりに淋しい光景ではないか。晴海埠頭出港のときは、ミス東京が手を振り、海上自衛隊音楽隊が奏《かな》でる軍艦マーチの中、七色の紙テープが舞ったのである。いかに首都キャンベラからは遠いとはいえ、日本大使ぐらいは来るべきではないか。機密費を使って現地の金髪娘をかき集め、手に手に日の丸を持たせて盛大に見送るべきであろう。

私の視界の中で、地球で六番目の広さの大陸がたちまち点になり、やがて見えなくなった。

麻衣ちゃんの処女を奪ってしまうかもしれん

一七四名の乗員、五八名の南極観測隊員、そして私を含めた六名のオブザーバーを乗せた「しらせ」はフリーマントルを出港するや、ひたすら南下した。とにかく世界中どこからでも、南に向かい続ければ南極大陸にぶつかるのである。

外洋に出ると「しらせ」はさっそく揺れ始めた。基準排水量一万一六〇〇トン、海上自衛隊所属の艦船で一番でかい船が、ランニング中の巨乳のように揺れるのである。

なんちゅうても「しらせ」は日本唯一の砕氷艦《さいひょうかん》である。その名の通り、ユサユサ巨体を揺らしながら、舳先《へさき》で氷を砕《くだ》いて進む。もう、初めっから揺れるように作られているのである。

叫ぶ四〇度、狂う五〇度、吠える六〇度と言われるくらい、南氷洋は年中、荒れ狂う海である。ちなみに四〇度、五〇度というのは、もちろん南緯度のことであって、船の傾斜度ではない。四〇度も傾いたら船は沈んでしまう。

こうなると当然、船酔いが始まる。さすがに海上自衛隊員である「しらせ」の乗員は涼しい顔をしているが、観測隊員の中には、食事に来なくなる者が続出した。

かく言う私は、巨乳のごとき揺れでもまったく平気であった。かつては猛烈な船酔いに襲われ、胃液まで吐いたこともあった。そう、あの基準排水量二〇〇〇トンの平底の輸送艦「みうら」で、台風の最中《さなか》、一七日間も無寄港でカンボジアまで漂《ただよ》ったときである（拙著『ああ堂々の自衛隊』をぜひ参照されたい）。

しかし、その試練に耐えた私の肉体は、完璧なまでに改造されていた。以後、まったく乗り物酔いしなくなったのである。

「しらせ」艦内における私の食欲はきわめて旺盛《おうせい》であった。栄養満点のおいしい食事を三度三度摂《と》り、夜は乗員の皆さんと酌《く》み交《か》わすのである。そして六時三〇分起床の規則正しい艦内生活。私は数日のうちに太り始め、ズボンのベルトを弛《ゆる》めたくなったのであった。

しかし！　恐ろしいことに、ベルトを弛めたくなったのは、太ったからだけではなかった。そのような健康的で栄養状態のよい肉体において、その一部だけが元気がないということは、あり得ないのである。

つまり、一滴残らず搾《しぼ》り出してきたハズなのに、不肖の息子はタチマチ暴れたがるのであった。南氷洋の心地よい揺れに身を任せ、ベッドで目を閉じると、女たちの顔ばかりが瞼《まぶた》に浮かぶのである。リサやリンダ、そして過去、私の身体の上を通り過ぎたと言うか、身体の下を擦《す》り抜けていった女たち……。

やはり「食い溜め、寝溜め、ヤリ溜めはできん」という先人の言葉は正しかった。こんな状態でこれから四ヵ月も保つであろうか。絶対無理である。ひょっとしたら「しらせ」の中で「国際線スチュワーデス・麻衣ちゃん」の処女を奪ってしまうかもしれん。そうな

南氷洋を行く砕氷艦「しらせ」。厚い氷には、一度後退してから、最大馬力で体当たりし、氷に乗り上げて砕氷する。

っては、哀れな南極一号の轍《てつ》を踏むことになるではないか！

不肖・宮嶋、ここは覚悟を決めねばならん。煩悩《ぼんのう》を断ち切るためには、一刻も早く「チ号作戦」を決行しなければならんのである。「チ号作戦」を説明する必要は、もうないであろう。私はパースで買った天然真珠を握り締め、「しらせ」の医務室のドアを叩く決心をしたのであった。

医官様に「チ号作戦」の内容を

翌朝、前後左右という気色悪い揺れの中、私は廊下の壁を伝いながら、「しらせ」医務室に向かっていた。もちろん手には直径一センチ真円の真珠である。

私の計算では、その時が絶好のタイミングであった。衛生状態がきわめてよい「しらせ」艦内で入れてしまえば、傷口の治りは早いであろう。二〜三週間先の南極大陸到着時には、彼《か》の地での苦役《くえき》にも耐えられるというものである。

それに「しらせ」医務室の医者たちは、そんじょそこらのヤブ医者ではない。有事《ゆうじ》の際にはバリバリの階級章の付いた軍服に身を包む医官様である。武運つたなく深手《ふかで》を負った水兵たちの額《ひたい》に躊躇《ちゅうちょ》なく拳銃弾をブチ込み、楽にしてやることもできる方々なのである。

たとえどんなに揺れようが、目を瞑《つぶ》っていようが、玉入れなんぞ、朝飯前であろう。私の陰茎に麻酔を射って、メスでチョコッと切り、その切れ目にチョイと真珠を放り込み、あとはチョイチョイと縫って一丁上がりのハズである。

やってしまえば、しばらくはセンズリもかけんようになるのは残念だが、どうせ本物の人間の女は抱けないのである。

幸い医務室には他に客（患者）はいなかった。だだっ広い医務室では、医官と衛生海曹が世間話の真っ最中。グッド・タイミングであった。

「センセ！　ちょいと折り入って相談があるんすが……、なぁに、簡単なことなんすよ……」

男同士で話も早い。私は防衛医大出たてと思《おぼ》しき若い医官様に「チ号作戦」の内容をとくと聞かせた。

「どないだ？　チョイと今からお願いしますよ。なんなら、私の手術結果を見てから、センセもやらはったらよろしいがな！」

思い起こせば一〇年前、私は、ここよりはるかに暑い洋上で、若い医官様の活躍を目《ま》の当たりにしたものであった。「ガルフドーン作戦」――湾岸戦争直後、イラク軍がペルシャ湾にバラまいた機雷の掃海《そうかい》作戦。戦後初の海外での軍事作戦という理由で、全国民注視の中、わが自衛隊は万全の準備を整え、掃海部隊を派遣したのであった。

アラブ首長国連邦の港町ドバイと作戦海域の間を、補給のためピストン航行する補給艦「ときわ」には、外科の大手術も可能な医務室が備《そな》えられていた。その医務室で若い医官様が、毎日のように訪れる水兵たちの治療に追われていた。

それは機雷処分中に誤って爆発させてしまい、五体飛び散る重傷者……なんてもんではなく、水虫とインキンであった。

笑ってはイカン！　朝七時には三〇度を超える猛暑に加え、対岸のクウェートから吹き曝《さら》す煤煙《ばいえん》、そんな洋上で過ごしていたのである。水虫、インキンは自衛官の職業病みたいなもんなのである。

同年代の医者の卵たちが外車を乗り回し、女のケツを追い駆け回しとるときに、自衛隊の若い医官様は愚痴《ぐち》も言わず、汚い足の裏を眺《なが》め、チ＊ポを摘《つま》み上げる毎日を過ごされていた。

「しらせ」同乗の医官たちも、その伝統を脈々と受け継ぎ、それなりの決意をしてここまで来ている。そのような方であればこそ、身体の中で最も大事な部分にメスを入れてもらうことができる。私は大船に乗った気分で、すっかり心の準備を済ませていたのであった。

南極大陸ならヤリ放題

「アンタ！　一体、ナニ考えてんの？」

鈍《にぶ》く光を放つ真珠の玉と私のモッコリ股間を見遣《みや》りながら、若い医官様が口を開いた。

「ナニ考えてるって……、そりゃあ、決まってますがな。四ヵ月後、シャバに舞い戻った時に女をヒィーヒィー言わせて、その後は、もう、奴隷のように──」

「……」

なんや、不機嫌そうな沈黙であった。

「気が変わらんうちに、早うブスッとやってください！　大丈夫です。覚悟はできてますし、風呂にも入ってきました──」

私がベルトを外《はず》そうとすると、医官様は手のひらを私の股間に向けて言った。

「できません！」

「へ？　何が？　何を今さら……、殺生でっせえ！」

覚悟を決めて来たのである。

「日本の医療法に照らし合わせても、そんなオペは、私にはできない！」

「何を、お戯《たわむ》れを……、日本の領海はとっくに出てまっせ！」

「確かにここは公海上だが、艦内は外国ではなーい！」

そうであった。ここまで聞いて性欲ボケしていた私も気が付いた。私は成田から合法的に出国し、オーストラリアにも合法的に入国した。しかし、フリーマントル港で海上自衛隊所属の「しらせ」に乗艦すれば、そこからは日本領土に舞い戻ったことになるのであった。

つまり「しらせ」艦内は国際法でも認められたわが国領土なのである。艦内を支配するのは日本国の法律と常識なのであった。それでも私はしつこく食い下がった。

「まぁまぁ、そんなカタいこと言わんでも……、カタいほうがエエ所《とこ》もあるけど、へへへ……」

「何を言う！　あなたの、その異常なほど健康な身体の一部を傷付け、つまりメスを入れ、その体内に、たとえ真珠といえども異物を混入するということがぁ！　そのけったいな作戦がぁ！　国民の生命・安全・健康を守るという、われわれの仕事と、一体どういう関係があるんだぁ！」

「…………」

「医療法うんぬんは別にしても、そんなオペは、私の信念にかけてもできません！」

若い医官様は再び深〜いタメ息をこいた。まるで淋病の治療で訪れた、あのいまいましい新宿の大病院と同じ展開やないか。まあ、モルモットにされないだけマシか……。

「しかし……、どうしてもと言うのなら、方法がないわけでもない。日本の常識が通じるのも、この船までですから……」

「と言うと？」

「つまり、南極大陸にいったん上陸してしまうと……」

「上陸してしまうとぉ？」

「どこの国の領土にも属さないので……」

「うん！」

思わず声がうわずるのであった。

「ヤリ放題でしょうな……」

そうやったあ！　南極大陸はいかなる国の領土でもないのである。南極における行動を規制するのは、わが国政府も調印した南極条約という国家間の条約だけなのである。たとえ如何《いか》なる事件、事故がこの大陸で起こっても、自国の法律を適用できる国家は存在しないのである。

「彼《か》の大陸では、外科専門の観測隊の医者が麻酔を射《う》って、ピアスの穴を開けまくっとるというやないですか……」

「はあ……、南極ではピアスの穴開けが流行《はや》っとるんですかあ？　そんなことして、何がおもろいんやろ？」

しかし、ピアスの穴がよいならば、チン玉入れだってよいハズである。私は白い大陸で過ごす四ヵ月間に言い知れぬ不安を抱きながらも、「チ号作戦」続行の決意を固くしたのであった。

9、怖ろしきかな、一発への執念

――南極観測隊同行ウラ日記・後編

こんなに柔らかくなるのか

南極大陸に上陸してからの地獄については、『不肖・宮嶋　南極観測隊ニ同行ス』を参照していただきたいが、それはシベリアでの強制労働、古代ギリシャの奴隷船も真っ青な過酷さであった。シベリアには短いとはいえ、春も夏もあるが、南極には冬しかない。変化があるとすれば、昼と夜だけなのである。

上陸初日にして、唇、指先がボロボロになった。強烈な紫外線と雪の照り返しのためである。その身体で日がな一日、次から次にやってくるヘリから大量の物資を人力で橇《そり》に積み込んだのである。

上陸後一週間経った頃、私は生きているだけで精一杯であった。睡眠だけが唯一、最大の楽しみであった。私に与えられたのは、夢を見る自由だけになったのである。

女たちの夢を見た。というより、私が白い地獄から解放されるのは、女たちを想いながら眠りに落ちていく瞬間だけであった。前妻はもちろんのこと、ザグレブのラダやマニラの淋病女メイアン、そしてリサやリンダ、それから……。

瞼《まぶた》に浮かぶ女たちは、みんな現実よりもずっと魅力的であった。刑務所から出てきた男が、妻や恋人を以前よりも愛するようになるのは、こういう想像の中で日毎《ひごと》、彼女たちを純化していくからであろうか。

シャバの常識では、女を想って眠りに就くのは、ヤリたくてたまらんからである。何を隠そう、私も二十代の頃は、そのような日々をずいぶんと送ったものである。

しかし、南極において女を想うのは違う。一瞬でも地獄から抜け出したいからなのであった。だから、いかに女を想っても、ハダカの女と熱い風呂、どっちかを選べと言われれば、迷わず風呂を選んだであろう。

そのような状況であったから、オトロシいことに、ピクリともせんのである。萎《しぼ》みきったままなのである。何がって、ナニがである。人間の肉というのは、こんなに柔らかくなるのかというくらいフニャフニャのままなのであった。治るんであろうか？　もし、このまま治らんかったら、もう、できん……。

明日は出撃、生きては還れんというとき、男は、何とか子孫を残しておこうと、猛烈な性衝動に駆られ、売春宿に殺到する。私が出港前にフリーマントルのアダ・ローザ・スタジオ二〇六に通い詰めたのには、そのような深ーい意味があったった。あのゴルゴ13だって、仕事の前には必ず一発やるのである。

しかし、それは、明日はヤバいが今は安全という場合であろう。ヤバくなってから性衝動に駆られる男は、よほど血の巡《めぐ》りが悪いのである。本当にヤバくなったら、生存こそが唯一最大の目的になるのである。

地球上で最も厳しい自然環境下で、想像を絶する重労働を続けていた私は、本能的に身体の全機能を生存のためだけに使おうとしたのであった。したがって、私の頭から「国際線スチュワーデス麻衣ちゃん」も真円の直径一センチの真珠も、しばしブッ飛んだのを、読者は責《せ》めてはならないのである。

それに、一度でも不能《インポ》になったことのある読者は、それがいかに恐ろしいことかをご存じであろう。もう、男としてオワリ。生き甲斐はなくなり、あとは朽ち果てるような死を待つだけになるのである。しかし、白い大陸では、そのような一大事ですら意識から排除されていく。極限に近い環境で重労働をしていると、頭の中まで真っ白になるのであった。

無修正写真よりシャンプーの匂い

雪と氷の中で土方《どかた》同様の重労働をし、あとは酒を飲んで眠るだけ……。まるで山谷ブルースのような南極生活であったが、私は驚くべき人体の神秘を体験することとなった。へロヘロに疲れた状態なのに、突如ボッキするという事態が発生したのである。

それは、私がドームふじ観測拠点への旅行隊に加わったときに起こった。ドームふじ観測拠点とは、南極大陸の内陸約一〇〇〇キロの地点にある、いわば出城《でじろ》である。南極観測の本拠地である昭和基地は、正確に言うと、南極大陸ではなく東オングル島という島に建設されているため、大陸内に観測地を設けているのである。

一〇〇〇キロといえば東京・稚内間に匹敵する距離である。雪上車で三週間かかる。そのドームふじ観測拠点へと地獄の行軍していたときであった。

雪上行軍三日目、一九九六年の大晦日のことであった。ある隊員が雪上車の中に転がっていたシャンプーを発見した。何の変哲もない、町中のコンビニで二〇〇円〜三〇〇円で売っている、ごく普通の容器に入った、大手メーカーの安物シャンプーである。

南極には水がない。ゼーンブ雪か氷になっている。必要な水は雪を溶かして作るのである。お湯に至ってはさらに貴重で、風呂どころか洗面器一杯さえ自由にならない。まして、我々は雪上車で行軍中なのである。いくら転がっていようと、シャンプーなんて使いようがない。どうせ、以前、その雪上車に乗っていた隊員が、必要ないからほっておいたシロモノなのである。

ところが、シャンプーには髪を洗うという本来の目的からは想像もできないような使用法が存在したのである。

乱雑に散らかった雪上車の中で、偶然、シャンプーを発見した隊員は思った。

(あれ？　なんや？　なんでこんなとこにシャンプーが……)

雪上車の中は悪臭に満ちていた。最後に風呂に入ったのはいつだっけ？　まともに手を洗ったことも覚えてない。履いているパンツも何日替えていないかわからない。そんな男どもが密閉された狭い空間にいたのである。

シャンプーを拾い上げた隊員は、無意識のうちにキャップを開けた——。

すると、そのシャンプーのキャップロから漂《ただよ》いだしたのは……、当たり前だが、シャンプーの匂いであった。しかし、その次の瞬間、私は思わずブルッと体を奮《ふる》わせた。

(ああ……、長いこと、この匂いを忘れていた……)

それは、まさにパンドラの箱であった。東京で嗅《か》げばただのシャンプーの匂いだが、南極では違う。シャネルの五番以上の効果を発揮するのである。

シャンプー↓風呂↓風呂上がりの女の髪の匂い↓そのまま押し倒して一発……。そのような論理的必然的な思考など、まったく必要がない。忘れていた本能が、突如盛り上がってきたのである。キャップを開けた隊員も私も、たちまち恍惚《こうこつ》状態となって、知らず知らずのうちに股間を膨《ふく》らませていたのであった。

雪上車の運転席には金髪ネェちゃんの無修正写真も飾られていた。しかし、そんなものにはまったく反応せず、シャンプーの匂いに反応するのである。人間の条件反射とはオトロシいものである。いや男をそうさせてしまうこの南極の環境こそがオトロシいと言うべきであろう。

かくして雪上車内でシャンプーの回し嗅《か》ぎが始まった。大の大人が、それも選び抜かれたエリートたちが、かわるがわるシャンプーに鼻を近づけて、スーハースーハーしはじめたのである。まるでシンナー中毒のガキがビルの陰でシンナーを吸うように。そして、目を瞑《つぶ》って、涎《よだれ》を垂らさんばかりにウットリしているのであった。

もちろん、私もやってみた。たまらん！　エエもんである。シンナー中毒のガキどもに、ぜひ教えてやりたい。南極に連れて来て一ヵ月ほど働かせれば、シンナーも体から抜けよう。腐った根性も氷の根性に入れ替わるであろう。そのうえでシャンプー一発！

南極観測はせっかく文部省が主管しているのである。センター試験なんぞというくだらんものは止め、その予算で不良どもを南極送り、もとい南極旅行に招待したほうがよい。

それがお国のためというもんである。

「チ号作戦」再発動す！

さて、ドームふじ観測拠点に到着した我々は、第三十七次隊の皆様から、これ以上はない歓待を受けた。風呂に入れてくださったのである。狭い浴室に男二人の入浴であろうと、大腸菌のウョウョしたドブ臭いお湯であろうと、極楽であった。

そして、身体がさっぱり、小ぎれいになったところで、私は正気を取り戻した。上陸してからの四週間というもの、体力、気力すべてを生存するためだけに費やしてきた。しかし、たった一〇分足らずの入浴で、本来の不肖・宮嶋に戻りつつあったのである。となれば、当然、思い出されるのは、自らに課した崇高な自己犠牲的実験である。

私はカメラ・バックの底で眠っていた真珠を引っ張り出し、ドームふじ観測拠点のドクターのもとに進み出たのであった。

すでにドームふじ観測拠点で一年間過ごしてきた第三十七次隊の皆様のうち、半数が耳たぶにジャラジャラとピアスをぶら下げているのである。ここにいる全員（私を除いた）が国家公務員であって、国でピアスの穴を開けたとはとても考えられない。この異常な空間で、このドクターが麻酔を射《う》ち、ピアスの穴を開けまくったに違いないのである。

しかもドクターの専門は外科。そのうえ、ここは南極大陸の内陸一〇〇〇キロ、いかなる黴菌《ばいきん》、ウィルスも存在しない、地球上で最も清潔な土地である。さらに、この大陸で受ける医療はすべてタダなのである。そして私はあと二ヵ月以上も本物の人間の女とやれない。すべての条件は整ったのであった。何を今さら迷うことがあろうか。

「ドクター！　折り入ってお願いがあります。なぁーに、ドクターの天才的メス捌《さば》きとチョイと何CCかの麻酔を必要とするだけの、屁みたいなオペをやっていただきたいだけですワ……」

「刺青《いれずみ》はできんぞ――」

私は「しらせ」の時と同じように、崇高なオペレーション「チ号作戦」を説明した。ドクターはしばし腕組みをして考えた挙句、言葉を返した。

「ふーむ……、どうしてもやれと言うのなら、やらんこともないが、本当にエエのか？」

「もちろんです。そりゃなかったら、誰がこんなところまで、真珠、運んで来ますかいな……」

「よっしゃあ！　エエ覚悟や！　後悔するやろけどな……。しかし、いったんタマ入れて、あとで取り出してくれとは言わんといてくれよ！」

「と言いますと……？」

「うむ、国でオレのとこにタマ入れで来る奴は一人もおらん！　来るのはタマを抜いてくれっちゅう奴ばっかりや！」

もちろん、ドクターの言うタマとは、睾丸ではなく真珠である。

「それはまた奇怪《きっかい》な……」

「うん！　皮の下にタマを放り込んだだけやったら、擦《こす》れたら、タマがゴロゴロ動いて、たいした効果は得られんのや。皆、そう言うとったで！」

「そう言われれば、たしかに……」

私はフリーマントルで、リサやリンダと繰り広げた楽しい場面を思い起こした。たしかに摩擦を増大させるためのチン玉も、ゴロゴロ動いてしまっては効果がない。それどころか、不肖の息子の中で動くとは、相当に気色悪いではないか……。

タンタン、タヌキのキ＊＊マ状態

「ほしたら……、なんで何の効果もないのに、皆チン玉を入れるのでしょうか……？　動かんようにしたら、どないでっか？」

「ほんなもん、知るかぇ！　ただ、理論上は君の言うことは正しい」

「そうでっしゃろ！」

「うむ、タマがゴロゴロ動くから効果がないのやったら、動かんようにしてしもたらエエだけやけどな……」

「ほしたら、それ、やってください」

私はドクターの気が変わらんうちにと、防寒ズボンのベルトを外した。

「エエのか？」

「エエッ。ブスッとやってください」

しかし、あまりに鬼気迫るドクターの表情から、私は何かイヤーなもんを感じた。

「あの……、オペの前にもうちょっと説明していただけまっか……」

「うむ！　皮の下に放り込むだけやから動くんやろ！　ほしたら、そのさらに下に埋め込んでもうたらエエだけやないか」

「へェ、その通りですわな……、と言うと」

「つまり、海綿体に直接埋め込んでもうたらエエだけの話やないか！」

「ゴクッ！　なんや怖そうな……。それ、むずかしいんでっか？」

「インや！　スカみたいなオペやで！　たっだーし！」

「ふん！　ただし？」

「むちゃくちゃ痛いやろな！」

「痛いって……、麻酔、射ってくれるんでしょ？」

「ドァホ！　オペの時はもちろん麻酔は射つわ！　しかし、その麻酔が切れたとき……」

「ゴクッ！　切れたとき？」

「なんちゅうても、身体中で最も敏感な部分にメスを入れ、なおかつ異物を混入させるんやからな！　麻酔が切れたら、そりゃあ、想像を絶する痛みやろな。まあ、痛み止めの薬ぐらいは出したるけど、気休めみたいなもんやろ……、それに！」

「それに？」

「しばらくはパンパンに腫《は》れ上がるやろな」

「そりゃあ、願ったり叶《かな》ったりやないですか！」

不肖、サイズには自信がない。だからこそ、真珠だけでもと、奮発して一番デッカイのを買ってきたのである。

「アホ！　二倍三倍というレベルやない！　もうタヌキの置物状態で、しばらく引きずることになる。まぁ、歩けんやろな！」

そりゃあ困る。いくら大きくしたいと言ったって、モノには限度がある。そもそも、その使用目的から考えても、タヌキの置物は困る。そのようなモノを収納できる女が何処《どこ》におろうか。

「まあ、実物大に戻るまで一年くらいは覚悟してもらおうか……。それで、何個やる？」

ブルブル……。アメリカのポルノ男優ぐらいなら大歓迎だが、タヌキはダメである。それに、「チ号作戦」において、ヒーヒー言うべきは女のほうであって、私がヒーヒー言っても意味がないのである。それでは本末転倒というものであろう。

かくて二〇ドルの天然真珠は、再び私のカメラバックの底で眠りに就くことになった。

しかし、せっかく買ったもんである。国に帰ったら、使うのである。

「ボクと一緒に南極奥地まで旅した真珠だよ！　貰ってくれないか！　ただし指輪やネックレスに加工するのは自分でやってね♥」

そのように言えば女はイチコロであろう。真珠も私の皮の下で役立たずのままゴロゴロするより女の指先や首筋で輝いたほうが本望であろう。

さて、その真珠がどうなったかと言えば……、知りたいであろう。私のトーク・ショーでも女性ファンから行方《ゆくえ》を尋ねられたものである。

その真珠はカメラ・バックの底で眠ったまま、再び内陸を一〇〇〇キロ旅し、さらに「しらせ」の船室を経て帰国した。しかし、私はすっかりそのことを忘れてしまった。貰ってくれる女が一人もいなかったからではない。「真珠が入ってなくともイイワ」という女のところを渡り歩いていたからでもない。勤勉にも、南極で撮影したフィルムの現像、プリント、整理に没頭していたのである。

そして、カメラ・バックを新調した時、古いバックに真珠が入っているのを忘れて、燃えないゴミの日に捨ててしまったのである。今頃は東京都の清掃車の床下か、夢の島で眠っていることであろう。

ガチガチになった麻衣ちゃんの名器

さて、もひとつの研究材料の「国際線スチュワーデス麻衣ちゃん」だが、彼女は第一次隊の「温水循環式等身大人体模型」同様、数奇な運命を辿《たど》った。

まず、多くのダッチ・ワイフ・メーカーの謳《うた》う「南極観測隊もご愛用」というキャッチ・フレーズは丸ウソであった。気温がマイナス一〇度ほどになると、風船式の麻衣ちゃんはたちまちガチガチに固まる。麻衣ちゃんご自慢の電動マルチ・バイブレーター仕込みの名器もガチガチになるである。そんなもんに突っ込むと血だらけになる。

おまけに固くなった副作用で、皮膚が劣化していた。このため、雪上車に同乗していた麻衣ちゃんは他の積み荷と一緒に七転八倒しているうちに、固くなった皮膚がヒビ割れしてしまった。そしてとうとう誰からも見向きもされなくなり、ただの無気味な人形に成り下がってしまったのであった。

ドームふじ観測拠点でのある日、気象担当の隊員が観測のため気球を上げると聞いた私は、早速、麻衣ちゃんを抱いて付いて行った。南極一号の一人は水葬に付されたが、内陸一〇〇〇キロのここでは、それもできない。故《ゆえ》に空葬に付すことにしたのである。

すなわち、三行半《みくだりけん》を突き付け、観測用気球に詰め込むヘリウムガスを注入し、この白い大地のどこかに飛ばし、永久の所払いにするのである。しかし、時すでに遅し。ヒビ割れだらけの皮膚からヘリウムガスが漏れ出し、麻衣ちゃんは浮かび上がらず、空葬はイヤだとダダをこねるのであった。そして私がドームふじ観測拠点を去る日がやってきた。

「お願いですから、こんな気色悪いものは持って帰ってください。観測の邪魔にこそなれ、何かの役に立つことは絶対にありませんから——」

遠慮深いドームふじ観測拠点越冬隊長殿はそう言って受取りを固辞された。しかし、何がどう役立つかわからんのが南極である。あの安物のシャンプーでさえ、想像を絶する使い方があったではないか。私は、この地獄に一年も取り残される八人の観測隊員のことを思い、麻衣ちゃんに「ドームふじ観測拠点にて越冬！」と命じたのであった。

後日、無事帰国された越冬隊の方に麻衣ちゃんの働きぶりについて伺《うかが》ったが、誰も見向きもしなかったそうである。しかも、このドームふじ観測拠点は第三十八次隊をもって一時閉鎖となってしまった。哀れ、麻衣ちゃんは今でも独り南極の雪の中で眠っているのである。

一〇〇人の女を四〇〇〇人の男が奪い合う

さて、これにて南極におけるわが研究テーマは終了なのだが、もう一つオマケがある。鋭い読者はもうお気付きであろう。復路である。往路のフリーマントルでアダ・ローザ・スタジオ二〇六に入り浸《びた》っていた宮嶋である。復路に何もしないなんて——。

復路の最初の寄港予定地はタスマニア州の州都ホバートであった。私がホバートでの上

雛ペンギン　負けるな 不肖　ここにあり

陸をどれほど待ち望んでいたか、改めて記す必要はあるまい。もう、マタタビの匂いを嗅いだネコ状態なのであった。

ところが、入港の二日前「しらせ」の電信室にとんでもない情報がもたらされた。「オーストラリア大陸南方海域で発着艦訓練を行なっている米海軍の空母キティホークが、ホバートに寄港する」というのである。米海軍の空母がどこで訓練をやろうと知ったことではないが、ホバートに入港されては困る。しかも目的が燃料、食料の補給と乗員の休養のため、なのである。それもよりによって我々の入港日と同じ日にである。

情報は野火《のび》のように「しらせ」艦内に広がった。その一報に触れた瞬間、私は天を仰いで呟《つぶや》いたのであった。

「天は、この不肖・宮嶋にまだ試練を与えようとなさるのか……」

情報の出所《でどころ》が防衛庁なのか、横須賀基地なのかはわからない。しかし「しらせ」という艦の性格上、誤報の可能性はきわめて薄い。絶望が「しらせ」艦内の男たちを支配したのであった。

キティホークはインディペンデンスに替わって、この年から横須賀配備が決まった、米海軍を代表する攻撃型空母である。発着艦訓練をしていたとなるとF—14、F—18などの艦載機も満載、パイロットや整備兵も満載である。

おそらくキティホーク一隻だけで六〇〇〇人弱の人間が乗っている。しかもその大部分が男なのである。そのうえ、訓練をしているなら、キティホーク一隻だけのわけがない。米第七艦隊所属の空母戦闘群ごと動いているであろう。つまり旗艦となる空母キティホークは、巡洋艦や駆逐艦、補給艦などを引き連れているに違いない。そうなると一万人くらいはおるかもしれん。

これに対し、いかにタスマニア州の州都とはいえ、ホバートの人口は六〇〇〇人である。女はその半分の三〇〇〇人だが、年寄りと子供は対象外だから、性交可能人口は三分の一の一〇〇〇人くらいであろう。その一〇〇〇人のうち、大半は堅気であろう。つまり、どう多く見積もっても、我々の相手をしてくれそうな女は一〇〇人くらいしかいないのである。

一方、米海軍の一万人のうち、ホモとオカマは目見当《めけんとう》で二割。残りの八〇〇〇人の少なくとも半分の男たちはヤリたいであろう。すると、米海軍だけで四〇〇〇人の男が一〇〇人の女を奪い合うことになる。四〇倍の競争率ではないか。望みはたった一つ。私は「しらせ」がキティホークより先に入港することをひたすら祈ったのであった。

敵は幾万ありとても、ヤルのである

「本鑑一時方向、オーストラリア、タスマニア島――」

突如鳴り響いた館内放送に、観測隊員も「しらせ」乗員もドドッとラッタルを駆け上り、甲板に飛び出した。

「見えた！　見えたゾ……」

「どこだ？　あっ、見えた！」

感動的な光景であった。私の三九年間の人生の中でも最大の感動であった。人生で最も苦しかった四ヵ月の後に、微《かす》かな希望を見た瞬間であった。映画「ゴッド・ファーザー・パートⅡ」でシチリア島からアメリカ大陸に移民船でやってきた少年ビトー・コルレオーネが自由の女神を拝《おが》み上げた瞬間もかくやであった。

オーストラリア大陸南方海域、氷山の冷気を運ぶ風が頬を刺した。それでも陸は見る見る大きくなってくる。「しらせ」乗員は入港準備のため、慌《あわただ》しく甲板を駆け巡る。艦橋も士官室も、入港セレモニーのための白い制服で埋まった。

しかし、感動に浸《ひた》っている場合ではない。これから壮絶な戦いが始まるのである。いかに大艦巨砲の米兵一万が相手といえど、不肖・宮嶋、この戦いにだけは負けるわけにいかん。四ヵ月間、この日を夢見て耐えてきたのである。

入港のセレモニーが済むや、私は脱兎《だっと》のごとく町に出た。そして、絶句した。町中、セーラー服だらけなのであった。女子高生だと思ったアンタ、頭が腐っておる。白いセーラー服を着た米海軍の水兵さんである。しかも二十代前半のヤリたい盛りの……。

こりゃあ、もう絶望的である。シロートだろうがプロだろうが、アメリカさんの通ったあとにはペンペン草も生えないであろう。

しかし、敵は幾万《いくまん》ありとても、征《ゆ》くのである。ヤルのである。私は定石どおり、波止場の公衆電話ボックスに走った。そして、そこに置かれていた名刺サイズのチラシを全部パクった。いろいろな種類を、ではない。そこには一種類のチラシが何十枚もあったのである。それを全部いただいた。

この行動の意味がわからない人は、戦いのなんたるかを知らない。如何《いか》なる戦いにおいても、最も重要なのは情報なのである。辺《あた》りには一万のヤリたい水兵がいる。「しらせ」からも約三〇〇人弱の男たちが上陸した。電話ボックスに一枚のチラシを残せば、敵を一人増やすことになる。いや、その一枚で何人もの男が電話することだってある。

このような大事な情報は、放置しておいてはイカンのである。また、いくら四ヵ月の苦労を共にした戦友たちといえど、タダでくれてやる訳にはイカンのである。

そのビジネス・カードに記されていたのは「プレイボーイ・ペット・エスコート」。エッチ下着に身を包んだ金髪美女がニッコリ微笑んでいる。万国共通の例のチラシである。

私は早速、チラシの電話番号を押した。二〇回呼んでも出ないのを切り、再びダイヤルしては切り。何度、電話したことであろう。しかし、誰も出んのであった。電話ではラチがあかん！

私はタクシーの運転手にチップを摑ませ「プレイボーイ・ペット・エスコートへ行け！」と命じた。知らないハズはないのである。

しかも、タクシーのリア・シートに乗り込んだ私の目の前には同じチラシが置かれていた。おそらく、この「プレイボーイ・ペット・エスコート」は人口六〇〇〇人のホバートでは唯一のパラダイスなのであろう。

ゲに怖ろしきは一発への執念

到着したのは、どう見ても普通の商家であった。一階は雑貨屋で、二階が「プレイボーイ・ペット・エスコート」らしかったが、カギが掛かっていて上がれない。

ここで諦めるようでは根性が足りない。あれだけチラシを撒《ま》いている以上、この掻《か》き入れ時に休業のハズがないのである。仮に定休日であったとしても、あの水兵の群《むれ》を見たら、絶対、店を開ける。私が経営者なら、間違いなくそうする。

ならば、待つべきであろう。私は喫茶店でコーヒーを飲んでは足を運び、床屋で髪を切っては足を運んだ。

そして、メシを食っているときであった。なんと、第三十七次越冬隊の某隊員と出会ってしまった。ギラついた目を見交わす男二人。お互いは無言のうちに目的が同じであることを知り、行《こう》を共にすることになったのであった。

そして深夜、我々はついに「プレイボーイ・ペット・エスコート」の入口にカギが掛かっていないのを発見した。ゲに怖ろしきは一発への執念であろう。

期待に胸、もとい下半身を膨らませ、荒々しくドアをノックすると、デカイ男が現われた。髪を短く刈り上げたプロレスラーのようなニィちゃんであった。どう見てもカタギではない。こりゃあしめた！　やっぱり、この場所で正解だったのである。私は勝利を確信した。

「女の子はアベイラブル（おるか？）か」

「ラッキーだったな！　キティ（ホーク）のクルーか？」

「いんや、日本のアイス・ブレーカー（砕氷鑑）や、四ヵ月ぶりや、二人ほどキレイどころ見繕《みつくろ》ってくれ！」

「朝から忙しかったぜ！　町始まって以来だ」

「やっぱり……」

「オリビアとナンシーだ！」

プロレスラーのニィちゃんのでかい肩越しに二人のネェちゃんが顔を覗かせた。ともに二十代前半のピチピチ！

「ハクい……」

四ヵ月振りなのである。ハッキリ言えば、医学的に女で、自分の母親以外なら、もう何でもいいのである。しかしハクいに越したことはない。

「よっしゃあ！　さあ、とっととやってまおうでェ！」

部屋の中に入ろうとする私をプロレスラーのニィちゃんが押し止《とど》めた。

「車を回して来るので、表で待っててくれ！」

「おう！　なんぼでも待ったる！」

「ところで、あんたら……、値段は知っとるのか？」

思い起こせば、ゼニを使うのも四ヵ月振りなのである。ポケットには、女の五人や一〇人買える現金が入っていた。それに「しらせ」の私の船室には、まだ数万ドルが眠っている。そもそも、女の値段というのは、その国で売っている高級紳士靴一足分というのが相場である。高くたって知れているのである。

「何を言う！　四ヵ月振りや言うたやないか！　言い値で払《はろ》たるわい！」

「二〇〇（オーストラリア）ドル（一万三〇〇〇円くらい）や」

「やっすう！　チップは別で払たるわい！」

人間、溜まり過ぎると、その他のことに関しては思考が止まってしまう。この展開では、危険だとか、高いとか、ヤバイなんてことは想像だにしないのであった。

待つこと一〇分！　プロレスラーのニィちゃんは、二人のネェちゃんを乗せたアウディをコロがしてきた。そして我々は、その車に乗り込んだ。

港の繁華街から離れ、少しずつ坂を登って行く。人気のない通りを一〇分ほど走って、アウディは真っ暗な民家の前で止まった。誰も住んでいる気配がない。モロ廃屋《はいおく》である。

「うちが管理している空家だ。オレはこの車の中で待っているからな……楽しみな！」

おそらくタスマニア州では、こういう管理売春は違法なのであろう。常にネオンを点《つ》けていたフリーマントルのアダ・ローザ・スタジオ二〇六は、たぶん合法である。するとアメリカみたいに州によって法律が変わるのであろう。しかし、合法か非合法かなんて、この際、どうでもいいのである。我々は何も考えず、真っ暗な空家の中に入って行った。

三〇分後、すっかり毒気を抜いた私は、オリビアにチップを手渡して空家の外に出た。第三十七次隊の某隊員はまだ奮戦中のようであった。

私は、送迎のアウディを断って一人で歩き出した。港町だから、坂を下って行けば「しらせ」に辿り着くハズである。潮風で頭を冷やし、途中でまた一杯ひっかけよう。

明朝は出港である。フリーマントルを出港するとき「しらせ」はまさに地獄に向から島送り船であったが、明日は違う。次の寄港地はシドニーである。陽光が燦々《さんさん》と降り注《そそ》ぐビーチもある。Tシャツ一枚で町を歩ける。風呂もシャワーも浴び放題、生ガキもロブスターもムール貝も、加えてピチピチ金髪も……。

波止場の「しらせ」がリゾート地に向から豪華客船のように感じられ、とりあえず休憩中の不肖の息子に、また力が漲《みなぎ》ってくるのであった。

10、ディズニーなんて嫌いじゃや！

――灼熱のアニマルキングダムで、世界に恥を晒《さら》す

詐欺師になっていれば相当な大物

「宮嶋！　エエ話がある！」

例によって、クレアの西川編集長から声が掛かったのは、東京に遅い雪が降った平成十年の春のことであった。

「エエ話ちゅうんは、ほんまにエエ話でっか？」

この人の「エエ話」にホイホイと乗るわけにはいかん。週刊文春時代から「エエ話」と言われて、ダボハゼのように喰い付き、あとで血ヘドを吐いてきた。いくらダボハゼでも、少しは学習するのである。

「なんや、オマエ！　その言い種《ぐさ》は？　なんやったら、他の奴に回したってもエエんやで！」

ここで慌ててはいけない。「イエイエ、話だけでも……」などと卑屈になると、いつもこのオッサンのペースにはめられてしまうのである。

「ヘェ、かまいまへんで！　西川さんが他人にオイシイ話を持ってくる理由がおまへん！　どっちにしろ、タイアップでっしゃろ！」

「な、な、なんや？　おまえには寒い南極で苦労かけたと思《おも》とるから、フロリダあたりで骨休めしてもらお、思て……」

「フ、フ、フロリダって……、喫茶店やキャバクラや健康ランドやのうて、本物の、アメリカの、フロリダ……」

「そやっ！　ビビったか？　アメリカなめたらあかんで！　しっかも、ディズニーの招待でディズニー・ワールドの取材や！」

あっという間に、いつものペースに巻き込まれてしもうた。この人と話すと、世の中はオイシイ話に満ちていて、ジッとしているのがとてつもない損に思えてくるから不思議である。詐欺師になっていれば、相当な大物であろう。職業を間違えていらっしゃる。

話は、ディズニー・ワールドに新しいテーマパークがオープンする、その取材をしてもらうため、ディズニーが世界各国からジャーナリストを招待する、というものであった。日本からだけでも一〇〇人近く、世界中からとなると何百人ものジャーナリストがフロリダに集まるのである。ごっつい話である。太っ腹なことである。

西川編集長によると、ディズニー・ワールド自体がごっついスケールなのだという。総面積はなんと東京二三区の一・五倍、その中に東京ディズニーランド級のテーマパークがゴロゴロあり、さらにその周囲にはショッピング・センターやホテルもゴロゴロあり、それらすべてがディズニーの仕切りなのだという。

さすが砂漠の真ん中にラスベガスを創った国である。有馬温泉の温泉ホテルなんぞと全然スケールがちゃう。観光の目玉をオノレで作っているのである。町一つをディズニーが創ってしまったのである。

そこに、アニマルキングダムとかいう、今まで見たこともない画期的なテーマパークを創ったので、我々をドドーンと招待し、世界中にそれを宣伝してもらおうという魂胆なのであった。

浦安インター近くのラブ・ホテルで

しかし、よく考えたら、なんで私なのであろうか。不肖・宮嶋と言えば、カンボジア、ボスニア、南極、ルワンダである。仮にも「リーサル・ウェポン（最終兵器）」と呼ばれた男である。ディズニーが作ったエセ・サファリどころか、本物のアフリカを走り抜いてきたのである。ライオンやチーターよりオトロシイ、フツ族、ツチ族、ポルポト派を相手にしてきたのである。

それが、こともあろうにフロリダの、しかもディズニー・ワールドだというのか。この私に、ミッキーマウスやドナルドダックの相手をしろというのか。

そもそも、私は電車の中でミッキーの耳を付けているガキを見ただけでムカつく。何がディズニーや！　ミッキーなんて、あんなもん、ネズミやないか！

しかし、そうは言っても、ディズニーには何度もお世話になっている。あまたのネェちゃんを東京ディズニーランドに誘い込み、人混みの中を一日中引きずり回して、ヘロヘロに疲れさせてきた。

そうすると、まぁ、湾岸浦安インター近くの二軒続きのラブ・ホテルあたりで御休憩することになるのである。故《ゆえ》にディズニーには繁盛してもらわんと困るという事情が、私にはあった。

ここは、いつもお世話になっているディズニーのために一肌《ひとはだ》脱ぐ時かもしれん。恩返しをしておかないとネズミに祟《たた》られるかもしれんし……。

「よろしい！　やりましょう！」

「やってくれるか！　ほれでやな、せっかくフロリダまで行くんや、特別なミッションをお前に与えてやる！」

これである。「YES」という言質《げんち》を取ったら最後、このおっさんはとんでもないことを言い出すのである。「ピョンヤンの万寿台で金日成の銅像と同じポーズで写真を撮ってこい」だとか「ノルマンディの戦勝記念セレモニーにドイツ軍の軍服を着て、日の丸を振ってこい」だとか、生命に関わるような命令ばかりであった。

いや、ひょっとして「白雪姫と一発やってこい」と言うありがたい命令かもしれん。

「グーフィーと記念写真を撮ってこい！」

「グーフィー？　何ですの？　それ？」

「犬か狼かわからんけど、動物や」

「犬か狼かわからん未知の動物をどうやって見つけるんですか？」

フロリダにはそのような動物がいるのであろうか。

「未知やない。架空の動物や！　ミッキーマウスやドナルドダックのような、ディズニーのキャラクターの一つやないけ！」

「なぁーんや、そんなことのために……、この私が？」

「そうや！　こんな機会でもなかったら、オマエみたいな貧乏人は一生フロリダに行けんど」

情けない。なんちゅうクダラン仕事や……。グーフィーだかカダフィーだか知らんが、記念写真やて……アホくさ。

オマエの恥はクレアの恥、文春の恥や

「餞別《せんべつ》がわりにオマエに言うとく。一度引き受けた以上、オマエも男や、ディズニーさんはわざわざオマエのために飛行機のチケットとホテルを用意したんや。少々思い通りいかんかっても、絶対ケンカすな！　たとえ相手が悪かってもや！」

長いものには巻かれろというのか。金持ちには逆らうなというのか。これが編集長と名の付く方の言葉であろうか。西川氏はさらに恩着せがましく言葉を続けるのであった。

「まだある。オマエ、久しぶりの文明国やろ。アフリカボケや南極ボケしとるかもしれんから言わせてもらうで！」

説教好きな教師のようにグダグダと言うのであった。

「まず、道で痰やツバを吐くな！　タバコの吸い殻なんぞ、以《もっ》ての外《ほか》や！　今やアメリカじゃあ、タバコ吸うのは犯罪やと思え！　次に人前でワイ談するな！　日本から何十人もの自称ジャーナリストが行くんや！　オマエの恥はクレアの恥、ひいては文春の恥や！　わかったな！

それから、エロビデオを持って帰るな！　オマエが前回、ロスに行った時、タワー・レコードでエロビデオ買《こ》うたんは、オレの耳にまで入っとる。そのうち一本はホモビデオやったこともお見通しや！　バチが当たったんや！　最後に、女を買うな！　タダでものるな！」

なんというアホなことを言い出すのであろうか。内外タイムスのエロ記事が大好きなくせに、クレアなんぞその編集長をしていると頭が腐るのであろうか。女というのは、車と同じである。のるためにいるのである。神様は、そのようにお創りになったのである。いかに編集長様のお言葉でも、最後のヤツだけはとても守れそうにない。

「アホやのう！　心配すな！　ワシは一回行ったからよう知っとる。これからオマエが行くとこは、オマエが今まで一度も見た事がないような、気色悪いほど健全な町や。オマエが女を買うことは万に一つもでけん！　その周囲一〇〇キロには売春宿どころか、オマエが行こうと企《たくら》んどるプラモデル屋すらないハズや」

そんなアホな！　売春婦のいない町が地球上にあるハズがない！　あのピョンヤンにすら売春宿ができたではないか。そんな悲しい町が本当に存在するのであろうか。しかもアメリカに、である。エイズのハシリの国、変態、ホモの溢れる国に売春婦のいない町なんて——。私は急に気が重くなった。

「なあに、心配すな。向こうではディズニーのスタッフが、ちゃあんとオマエの世話をしてくれる。オマエは四日間、好きなアトラクションにタダで何ボでも乗り放題や！　しかもプレス待遇や。待ち時間ゼロ。裏からちゃあんと入れる。うらやましいのお、ワシも行きたいのお——」

かくて、私は陰謀渦巻くフロリダへ飛んだのであった。ディズニー様のあたたかい御配慮で、満席のエコノミー・クラスの禁煙席。成田から一六時間のフライトであった。

金髪ネェちゃんガイドに金髪ネェちゃん通訳

到着の翌朝、エプコットというテーマパーク内の会議場で、日本人プレスのためだけのブリーフィングが開かれた。総勢七〇人くらい。明らかにネェちゃんのほうが多い。というか、ネェちゃんだらけである。これが同業者かぁ？　と疑いたくなるようなキャピキャピした雰囲気が漂っている。

クレアの対抗誌であるマリクレールとか旅行雑誌ＡＢロードなどは聞いたことがある。しかし、ほとんどは、私が一度も読んだことのないような媒体であった。いつも国内で相手にしているフォーカス、フライデーや週刊ポスト、週刊新潮の方々と違い、のんびりしたテンポの方々ばかりである。

ブリーフィングでは、ディズニーの重役の挨拶や今後のスケジュールの確認のあと、なんや取材陣の班分けをするという。まるで小学校の修学旅行である。

「TBSさん！」「マリクレールさん！」「ABロードさん！」と次々に媒体名が呼ばれていく。そのグループごとに現地人（アメリカ人）ガイド（兼運転手）と通訳（日本語の）と車が付くのである。

ふーん、こりゃあ、西川編集長の言うとった通り、楽な取材になるわ！ ガイドの案内どおりに回って、パチパチと適当に撮れば一丁上がりである。

ところが、おかしなことに「クレア」のクの字も「宮嶋」のミの字も言ってくれない。いつまで経っても、私はどのグループにも振り分けられないのである。

「以上でえーす。名前を呼ばれなかった方は個別に取材してくださあーい」

「ど、ど、どういうこっちゃあ！ 何でワシには誰も付かへんのや！ それに、あとの皆さんとはなんや！ ワシはその他大勢か？ どないなっとるんや！ 責任者出てこい！」

回りを見回すと、班ごとに打ち合わせに入っていた。気が付くと、私は一人で茫然としていた。

そう言えば、男一人で来ているのは私だけのようである。ほとんどの媒体は、カメラマンは男が多いとして、ネェちゃん編集者、ネェちゃんライター付きである。

某テレビ局なんかENG（テレビ・カメラ）を持って来ていないかわりに、新婚のヨメみたいな女を持って来ていた。遊びに来たとしか思えん、ネェちゃんだけのグループもある。

ネェちゃんライターに、金髪ネェちゃんガイドに、金髪ネェちゃん通訳に、お車付き。

それに比べて、私は一人ということか？

私は側にいたディズニーのネェちゃんスタッフを捕まえた。

「な、な、なんでや！　な、なんかの間違いやろ？」

普段ならその下に「なめとんのか！　なめとったら、一生ヨメに行けん身体にしてまうど！」と付け加えるのだが、今回は西川編集長より「ケンカすな！」という特別命令があったので踏み止《とど》まった。しかし、彼女の反応は意外であった。

「アレ？　おかしいですねぇ？　各媒体に、事前に、通訳、ガイド、車の必要の有無を確認したんですが……、宮嶋さんは間違いなく、ソレ、されました？」

そう言えば、出発前、バタバタしていて、ほとんど説明を受けなかった。三日前にチケットとスケジュール表と資料を受け取って、ロクに目を通さないまま来てしまった。

「しかし、なんかの間違いでは？　うちの編集長からは、何も心配するなと言われて……」

そこまで来て、ハタと気が付いたのであった。

（ハメられた……、やっぱりワナやった）

ディズニーに死ぬほど後悔させてやる

いつもいつも、このようにして窮地に追い込まれるのである。しかし、今回ばかりは、あの人も編集長になって改心したと思っていたのだが——。違うのか。ならば仕方がない。

不肖・宮嶋、ケニアからウガンダ、ルワンダ、ザイールのゴマ・キャンプまで、このアニマルキングダムの目玉アトラクションのキリマンジャロ・サファリを地で行く経験をしてきたのである。航空自衛隊の輸送機に乗せてもらえず、たった一人で陸路を走破したのである。もちろん通訳もガイドもいなかった。車さえあれば、こんなフロリダごとき屁でもないのである。

「それでは、車は？　足はどうすればよろしいのでしょうか？　聞き及んだところによりますと、このディズニー・ワールドというのは東京二三区より広いとか……」

「エエ、でも御心配なく。バスがあります。だいたい二〇分おきに運行されています。各パーク間は運行してませんが、パークとホテルの間は運行しています」

私は耳を疑った。

「バス？　バスに乗って取材に行くのかあ？　この不肖・宮嶋が？」

私は、ここ一〇年、バスになんぞ乗ったことがない。

「エエ、タクシーは数も少ないですし、規制もあって、利用されても相当歩くことになります」

耳なし、口なし（通訳、ガイドなし）のうえに足もナシか……。これでは、足を縛ってカール・ルイスと競走しろと言われてるようなもんではないか。

対抗誌のマリクレールは、ネェちゃんライターにカメラマン、通訳、ガイド、そしてお車付きなのである。これでページを張り合えというのか？

向こうは重い機材も車に積みっぱなしにしておいて、必要な時に取り出せばいいが、私は自分の肩にずっと担ぐのである。向こうはおいしい料理なんかの写真も撮り放題であろう。黙っていてもディズニーのガイドが車で連れて行ってくれるのである。そこを私は一人で探して、勝手に歩いて行けというのである。

「最初から必要だとおっしゃってくだされば、こちらでも対応できたのですが……。今からですと、ちょっと……」

ホウか！　わかったわえ！　覚えとれ！　このクソ安全なフロリダのド田舎で通訳なんか要るかえ！　新婚擬《もど》きのテレビ局員やあるまいし、車なんぞ要るかえ！

この宮嶋を野に放ったことを死ぬほど後悔させてやろうではないか。折りしもここはアニマルキングダムや！　野生動物の王国をわざわざ作ってくれたんや！

この人工のサバンナとジャングルで、不肖・宮嶋、ある時は豹になり、またある時はハイエナとなり、ディズニーに目にモノ見せてくれようと固く決心したのであった。

すべての不足は根性で補う

こうして私の孤独な戦いは始まったのである。しかし、それは終始困難を極めた。何と言ってもそのスケールの大きさである。泊まっているホテルからして巨大なのである。

フロントから部屋まで歩いて五分かかる。ホテル内を車が回っている。コテージ風というより、ホワイトハウス風の客室がそこらじゅうにあり、その一つ一つに真っ白なでっかいプールが付いている。ホテルの敷地内に運河まで流れている。もちろん人工の運河である。そこを船が運行しており、各テーマパークへ船でも行けるのである。

そのホテルから、日の出とともにアニマルキングダムに出掛けるのが、私の長い一日の始まりとなった。もちろんバスに乗って、である。短パン、Tシャツ、スニーカーで大声を張り上げる親子連れの一団と一緒にである。

アイスクリームで口の周《まわ》りをベトベトにして「ダディ！　マミィ！」と喚《わめ》くガキに引き吊った笑顔を振りまきながらバスを待つ。車をスッ飛ばせば一〇分の距離を、バスは一時間以上かけて各ホテルを回っていくのであった。

次に情報不足である。この広大なディズニー・ワールドで、何処でどんなオモロイことをやっているかなんて、ガイドなしではさっぱりわからん。まあ、わかったところで足がないので、とりあえず、アニマルキングダムに行くのであるが――。

しかし、情報は一〇〇分の一でも、根性は一〇〇倍である。すべての不足は根性で補うという、わが帝国陸軍伝統のノウハウをもって、私のテーマパーク巡りは始まったのであった。

公式行事には徹底的に出席した。情報がないので他に行くべき所がないし、それに、そこではタダメシが約束されているからである。フライド・チキン、ロースト・ビーフ、ターキー・レッグ、ロースト・ダック、ポーク・チョップ……。

なぜか、ディズニーのキャラクターの肉が多い。ドナルド・ダックの前でロースト・ダックを食うのは、かなりのブラック・ユーモアだが、なんといってもタダである。ビールもワインもコーラもタダである。飲み放題、食い放題、タダほどうまいものはない。

夜は毎晩、ドえらい事になっていた。世界中のテレビ、新聞、雑誌関係の記者やカメラマンが来ている。ものスゴイ数である。どこの国でも、こうした人種はシロート衆より意地汚い。それが毎夜、タダで大宴会をしているのである。

当然、私も、バスを乗り継ぎ、写真も撮らず、ひたすら栄養補給に邁進したのであった。

ダウンタウン・ディズニーのハウス・オブ・ブルースという所で、例のごとく、食い放題のゴスペル・パーティーがあった日のことである。しこたまロースト・ビーフをたいらげた私は、洒落《しやれ》たレストランやブティックが並ぶ中をとぼとぼバス停へと歩いていた。

すると、オープン・テラスで三脚を立て、イチビッて撮影しているカメラマンが目にとまった。ネェちゃんライターやネェちゃんガイドたちに囲まれ、酒池肉林状態である。レンズの前には、うまそうな料理がきれいに盛られていた。フロリダ名物のマッドクラブやロブスター、それからシーフード・サラダなどである。このフロリダに来て、私がまだ一度も食っていないものばかりであった。さっきの宴会で私がしこたま腹に入れたアメリカン・ジャンク・メシとドエライ違いである。

（うまそうやのお！　撮影のあと、きっと皆でキャピキャピ言いながら食うんであろうのお！）

涎を垂らしそうになりながら見ていたら、カメラマンと目が合ってしまった。対抗誌のマリクレールであった。彼は、何か汚いものでも見たように私から目を逸《そ》らし、キャピキャピ撮影を続けた。みじめである。マリクレールとクレアでは、これだけの差があるのであろうか。

なめとんのか、ライオン！

アニマルキングダムの目玉アトラクションは、キリマンジャロ・サファリである。広大な敷地に人工のジャングルやサバンナを作り、象、キリン、サイ、カバ、ライオンなどを放し飼いにしている。そこをトラックに乗って走るのである。

いったい、サファリ・パークとどこが違うのであろうか。疑問に思って、ディズニーの関係者に「おんなじやんけ?」と言ったら怒られてしまった。

一応、ワニのいる川に落ちそうになったり、密猟者を捕まえたりと、ストーリー仕立てになっているから、並のサファリ・パークとはちゃうと言うのである。たしかに前評判は高いらしく、公式オープン前なのに、なぜか行列ができていた。並んでいるのは、なんやコネのある連中や近所の住民らしかった。

私は、このキリマンジャロ・サファリに毎日、アホみたいに並んで乗った。一日に何度も乗った。けっして動物が好きだからではない。楽しかったからでもない。なかなか写真が撮れなかったのである。

トラックは写真を撮るために止まってはくれない。車から降りるなんて、以ての外である。ずーっと走る車からの撮影である。しかもワザと道を凸凹にしてあるので、すさまじい震動である。そのうえ相手は話の通じない畜生どもである。さらに、何度も乗っているのに毎回撮れる動物が違うのであった。

ライオンなんぞ、夜行性なので一〇回乗ってやっと一回見られるかどうかである。見られても、寝ておる。コラ！　なめとんのか、ライオン！

もっとなめとんのはチーターである。何十回も乗ったのに、一回も出てこない！　ホンマにおるんかいな？　シマウマなどの草食動物とライオンやチーターなどの猛獣とは、車から見えない所に柵や溝を作り、混じらないようにしているらしいが、どうせならショー・タイムを設けて、チーターをシマウマの中に放すぐらいのことをやったらんかい！

私は車内のアナウンスをすっかり暗記するくらい乗ったのであった。他のカメフマンも、これには苦労したろうと思っていたら、私のように一般客と一緒に並んで乗った奴はおらんかった。

皆、裏口入場で、各人気アトラクションに並ばずに乗っていたのである。しかもストロボ撮影禁止の館内でもバシバシ写真を撮っていたという。知らんかった――。

ネェちゃんガイドと一緒なら、こんな目に遭わずに済んだろうに、悲しいことである。

日射病になるか、ディズニーに魂を売るか

何もかも管理された世界。管理されたスリル擬《もど》きを味わうのがアニマルキングダムであ

る。しかし、さすがのディズニーも管理できないものが一つだけあった。天気である。毎日、朝から夕方まで、どうにもならんカンカン照りなのである。

暑いとは聞いていたが、ホンマに暑い！　その中をカメラを担いで歩き回っているのである。このままでは日射病になりかねん！　私は帽子でも買おうと売店に飛び込んだ。

しかし、そこは、当然、ディズニーの売店である。大の大人が被《かぶ》れるものなんか、ない。私の頭がでかすぎるからではない。サイズはあっても、マトモな神経で被れるものがないのである。

不肖・宮嶋、取材で被るものといえば、ヘルメットと相場は決まっていたが、それに代わるようなシブイものなんぞ、ないのである。頭の中がカラッポでなければ被れんものばかりが並んでいるのであった。

このまま日射病になるか、それともディズニーに魂を売るか――。

辛い決断であった。しかし、もう、暑さで私の頭はボーっとしていたのである。マトモな状態ではなかったのである。私はフロリダの太陽に負け、ミッキーの耳付き麦藁帽子（ああ、書くのも恥ずかしい！）を買ってしまったのであった。

しかし、見るからにけったいな帽子である。さっきまで、こんなもんが売れるんかいなと思っていた帽子である。東京で被っているガキを見るとハリ倒したくなる帽子である。それをオノレが被っているのであった。私を知る人が見たら、とうとう宮嶋も気が狂ったと思うであろう。しかし、アメリカで良かった。まさかフロリダくんだりまでは来ている知り合いはおるまい。私はミッキーの耳付き麦藁帽子を頭に載せ、近くのベンチに腰を下ろしたのであった。

グーフィーより白雪姫がいい！

アッ！　いかん！　西川編集長の特命ミッションを忘れとった。グーフィーとやらと記念写真を撮らねばならんのであった。ディズニー・ワールドというからには、東京ディズニーランドみたいにディズニーのキャラクターがウロウロしているのだろうと思っていたら、アニマルキングダムにはいないのである。

緑が一杯で、ミッキーのかわりにカモやフラミンゴがヨチヨチ歩いている。エレクトリカル・パレードのかわりに、昼間から虫の被《かぶ》りものをしたニィちゃん、ネェちゃんが山車《だし》とともに練り歩いているのである。

何処にいるんやろ？　と地図を見ると、キャンプ・ミニー・ミッキーというのを見付けた。「ここでキャラクターと会える」と書いてある。グーフィーとやらもいるのであろうかと、期待して読んでいくと「さあ、誰と会えるかなあー？　楽しみ、楽しみ！」みたいな事が書いてある。なめとんのか！　まったく！　グーフィーとやらがおるのか、おらんのか、はっきり書けっちゅうんじゃ！

　地図を頼りに出掛けていくと、そこは森の奥の広場であった。ディズニーのキャラクターが待ち受けていて、一緒に記念写真を撮ってくれるのである。

広場は四つほどあって、いろいろな動物キャラクターがいた。ディズニーのキャラクターは大別すると動物と人間の二種類である。動物というのはミッキーやドナルドたちで、例の着ぐるみ。人間というのは白雪姫やシンデレラ、アリスなどで、東京ディズニーランドと同じように生身の金髪ネェちゃんが衣装を着けている。

　当然、私の好みは生身の金髪ネェちゃんで、そういうのと一緒に記念写真を撮りたいのだが、ここはグーフィーとやらを探さねばならない。残念なことである。

　一つ目の広場にミッキーがいたが、オマエに用はない。次に進むとすぐにグーフィーを発見した。だらしなく垂れた耳、意地汚く長い舌、情けない垂れ目、間違いない。あれがグーフィーであろう。なんや、よう似た黄色い犬もいるが、アイツは違うのである。

ここで、私が本場フロリダで現地取材したミッキーの交友関係について報告しておこう。ミッキーのガールフレンドがご存知ミニーである。グーフィーはミッキーの友人で、似たような黄色い犬はミッキーの飼犬なのである。

ああ、アホらし。仕事とはいえ、なんでこんなことを調べなければならんのやろ？　だいたい、ミッキーはマウスと言うくらいやから、ネズミやろ！　ネズミが犬を飼うかあ？　普通は飼わんやろりが——。

私はネズミや犬なんぞ、嫌いである。何が好きかと聞かれれば、ウサギである。なかでも、網タイツを穿《は》いて、ケツに白いボンボリ、頭に黒い耳を付けたバニーというのが断然好きである。

ほとんど、というより完全な変質者

話はそれたが、その広場の一つで、やっとグーフィーとやらを見つけたのであった。

（やっと会えたな！　探したでぇ）

近寄ろうとして、ハッと背中に殺気を感じた。なんや、グーフィーの前にスゴイ行列ができているのである。ガキどもや親子連れが手に手にミッキーのサイン帳を握りしめ、ウルウルした目で待っていたのである。

そして順番が来ると「ハーイ！　グーフィー、ハウ　ラブリィ！」などとぬかして、抱き付き、一緒に記念写真を撮ったり、サインをもらったりするのである。

覗いてみたら、ちゃあんと「ＧＯＯＦＹ」なんて書いていた。アホヅラをした日本人ハネムーナーも並んでいた。普通、新婚旅行でこんな所に来るかあ？　グーフィーと記念写真を撮るかあ？

仕方なく私も列の後ろに並んだ。後ろにガキが並び始めた。よーく見ると、男一人は私だけである。今、男一人でディズニー・ワールドにいるのは私だけではなかろうか？　しかも肩からでかいカメラを二台もぶら下げて――。

だから、こんなに目立つのだろうか？　そういえば、ベンチで休憩していたときに、なんやテレビ・カメラを持った連中が私のほうを映しておった。やっぱり、珍しいのである。

そして、私はすぐに気付いた。もしかしたら、これはとんでもなく恥ずかしい行為ではないのだろうか。ディズニー・ワールドに男一人でいること自体が異様なのに、グーフィーとやらと記念写真を撮るために行列に並んでいるのである。

傍《はた》から見たら、ほとんど、というより完全な変質者であろう。私だけ完全に浮いているのである。何が悲しゅうて、こんな恥ずかしい目に遭《あ》わなイカンのやろ？

他のカメラマンは、今頃きっとエアコンの効いたキャデラックで移動中なんやろな。ほれでネェちゃんライターやネェちゃん通訳なんかとキャーキャー言いながら、アトラクションをお楽しみなのであろう。

やっと私の番になった。私は側《そば》にいたネェちゃんにカメラを渡し、シャッターを押してくれるよう頼んだ。このネェちゃんもいい年コイて！　と思っていることであろう。グーフィーも、一人でやってきた東洋人を気色悪く思っているであろう。

しかし、グーフィーは、別に嫌な顔一つせず（当たり前である）、肩を組んでフィルムに収まってくれた。着ぐるみの中に入っているニィちゃんも、このクソ暑いなか、御苦労な事である。オマエも大変やのお――。おっ、一句できた。

我ときて　友となろうぞ　グーフィーや　不肖

とりあえず、これで西川編集長の命令は遂行した。終わったのである。世の中に任務を終えたカメラマンほど気楽なものはない。もう頭の中をカラにしてよいのである。

そうなると、けっこう楽しいもんであった。従業員もフレンドリーで陽気で親切。カンカン照りもミッキーの帽子で快適。なかなかエエもんである。フロリダの青い空の下、私はすっかり童心に戻ったのであった。

ただし、西川編集長の言った通り「気色悪いほど健全な町」である。決して男一人では行かないように。女一人でも行ってはイカン！　男はみんなカップルか家族連れである。一人で来ているなんてのはいないし、男だけのグループもいない。絶対に誰もヒッカけてくれないのは、私が保証する。

不肖・宮嶋、世界中に恥を晒す

しかし、なんで西川編集長は、ミッキーでもドナルドでもなくグーフィーとの記念写真を要求したのであろうか。それだけが、ずっと気になっていた。帰国後、成田から編集部に直行した私は、編集長に聞いてみた。

「御命令どおり、グーフィーと記念写真を撮ってきましたが――」

「おお、そうか。それは楽しみやのぉ」

左＝グーフィーと不肖。似とるかぁ？　似とらんわい！　下＝アニマルキングダムを走るトラック。

「しかし、なんで、グーフィーなんでっか？　ミッキーでもドナルドでもなく――」

西川編集長は改めて私の顔をマジマジと眺め、言ったのである。

「おまえ、ソックリやないけ！」

「ヘッ！」

私は絶句した。仮にも出版界のゴルゴ13と言われているのである。写真界のハリソン・フォードと呼ばれているのである。

「いや、ちょっと見たかったんや――。おまえとグーフィーが並んどるとこ」

それだけの理由で……。私がどれだけ恥ずかしい思いをしたと思っているのであろうか。このリーサル・ウェポン・宮嶋をフロリダまで送り込んだワケが「ちょっと見たかった」からだというのか――。

「あっ！　それからCNN見たど！　世界中に恥を晒《さら》したな！」

なんのことであろう？　私は言い付けどおり、唾も痰も吐かなかった。禁煙の場所では煙草も喫わなかった。もちろん、女も買わなかった。しかし、CNNとは、穏やかでない。

「なんですのん？　それ？」

「知らんのか、アホ！　おまえ、ミッキーの耳付き帽子被って、ベンチでグターッとしとったやろ！　グーフィーよりアホヅラやったど！」

私は再び絶句した。目の前が真っ暗になった。まさか、あそこでテレビ・カメラを向けていたのがCNNであったとは……。不肖・宮嶋、一生の不覚であった。ご丁寧に首からカメラをブラ下げて……。知っている人が見れば、モロバレである。あの映像とともに流れたであろうナレーションが頭を過《よぎ》った。

「ここ、フロリダの青い空の下、ディズニー・ワールドでは、待望のニュー・テーマパークがオープンしました。その名もディズニー・アニマルキングダム。世界から注目度も高く、はるか地球の裏側からもアホな日本人カメラマンも現われました……」

なんということであろう。あの帽子を被った私の姿がCNNインターナショナルで流れたのである。世界中のホテルなんかで、同じ内容を繰り返し放映しているヤツである。そこに少なくとも五秒間は映っていて、あの帽子を被った姿が繰り返し繰り返し流れたのである。エライ事であった。もう、外を歩けん――。

つつみ荘（杉並の自宅）の留守電には案の定、世界中の女からメッセージが届いていた。きっと「バカ！　みっともない！」という罵声が一ダースほど入っているのであろう。恐ろしいことである。と思ったら——。

「お似合いだったわ！　かわいい！」

かわいい！　の一二連発なのであった。ふっ、ふっ、ふっ、ディズニーもエエもんではないか。これからは、出版界のグーフィーと名乗ることにしよう。

11、天誅、下るべし！

——地獄の底まで追ってやる、オウム許すまじ

法が許しても、天は許さん

帝都に冬の気配が忍び寄っていた平成十二年十一月十七日、私は和歌山刑務所に向かっていた。これまでの悪業がバレて捕まってしまったのではない。オウムのマハーケイマこと石井久子が翌十八日、三年八ヵ月の刑を終えて出所するのである。

出迎えてやらねばならん――。これで、法的には償《つぐな》いを済ませ、シャバの人間としての諸権利を回復することになる。オメデタイことである。盛大に祝ってやろうではないか。

五人しかいなかったという正大師だかマグマ大使だか知らんが、まごうことなきオウムの大幹部。教団の大蔵大臣まで務め、金を一手に握っていた女。六〇〇〇余人の日本国民を死傷させた団体のナンバー2が、たった三年八ヵ月の服役で社会復帰するのである。法がそれを許しても、天は決して許さないであろう。不肖・宮嶋も許さん！　じぇーったい許さん！

かの江川紹子さんによると、ケイマは裁判中に教団からの脱会を表明したものの、その供述、証言は自己弁護中心、教団のゼニの流れという肝心な点は語らず、捜査協力もサッパリだったという。そんな人間（と私は呼びたくないが）の脱会宣言なんて、信用できるわけがない。あの女が知っとることを全部ゲロしたら、あと一〇人くらいのオウムを絞首台に送り込めると言われている。そのケイマが我々の目の前に現われるのである。シャバの水がムショの水よりはるかに苦《にが》いことを教えて差し上げる絶好のチャンスではないか。

私はケイマとは長い付き合いである。といっても、別に交際していたという意味ではない（ああ……想像しただけでも気色《きしょく》ワル！）。あいつが大蔵大臣としてブイブイいわせていた頃、イヤな思い……なんてレベルでなく、屈辱的な思いをさせられたのである（詳細は新潮社刊『不肖・宮嶋　踊る大取材線』を読んでね♥）。それゆえ、地下鉄サリン事件後にオウム取材に着手した新聞やテレビ、そして警察より、ケイマという人間の本性をよく知っているつもりである。だから声高《こわだか》に言うのである。あいつは脱会などできないと――。

賢明な読者はご存知のように、日本のムショ生活は先進国の中では最も厳しい部類に属している。かのアムネスティですら注目しているくらいである。だが、ケイマは、今回の服役前にオウムの国土利用計画法違反に関わる証拠隠滅で熊本県警に逮捕された前歴もあり、牢屋には慣れている。しかも服役した三年八ヵ月よりオウムにいた時間のほうが長いのである。

ムショ暮らしなんて、そんなもん、オウムの「修行」と称するものに比べたら、屁でもない。連中は、飲まず食わずで水中や土中に何日間も入ったり、風呂にも入らず、真夏にコンテナに閉じ込められたりしていたというのである。二四時間、あのヒゲデブの説法と称するものを聞かされ、あげくの果てにLSDやシャブまで射《う》たれ、熱湯風呂で煮殺《にころ》されるのである。そんな環境にいたケイマにとって、日本のムショなんてパラダイスであろう。

もっとも、ケイマは大幹部にして麻原の愛人だから特別扱いであった。オナニーさえしないとコいたのは上祐だが、ケイマは麻原の本妻・松本知子の目を盗んで麻原とチチ繰《く》り合い、挙句の果てにガキを三人も産んだのである。おぞましいとは、このことであろう。私の女性不信の最大の理由がこれである。

世にモテない男はゴマンといる。彼女いない歴何年、シロート童貞何年という独身男が、わが国には何万人といる。しかし、そのような皆さんも、けっして希望を失ってはいけない。あの気色悪い、臭い、汚らわしい、ブヨブヨの麻原のガキを三人も、しかも結婚もしていないのに、自らの意志で産んだ女がいるのである。

そんな女がションベン刑（短い刑期）を終えて、どんなツラで出てくるのであろうか。不肖・宮嶋、この女のツラにキッチリ、フラッシュを浴びせてやるのである。

オウムの大幹部にキッツーイ出所祝いを

和歌山入りした私は、早速ケイマが服役している和歌山刑務所を下見に行った。殺風景なムショの周《まわ》りには五、六脚の脚立《きやたつ》が並べられてるだけであった。しかも、みーんな地元関西メディアばかりである。カメラマンらしき人影もチラホラ見えるが、どうもパッとせん。というより、周囲の空気に緊張感がまったくないのである。

明朝、オウムの大幹部にキッツーイ出所祝いを一発カマしてやろうと企《たくら》んでいるメディアは他にないのであろうか？　もう、そっとしておいてやろうなんて、アホな考えを起こしているのであろうか。ケイマの本性と影響力を過小評価しているとしか思えない風景であった。

思い起こせば一年前。年の瀬も押し詰まった十二月三十日、上祐が広島刑務所を出所したときは、それはそれは大騒ぎであった。門前は数日前から黒山の人だかり。当日には暴走族や野次馬まで涌《わ》いていた。そして、弁護士や杉浦などの幹部、ついでにスベトラーナとかいう金髪ネェちゃんまで引き連れた上祐を、大報道陣が追い掛けまくったのであった。広島刑務所から羽田へ、そして宿泊を断られた新宿のヒルトン・ホテルへ、さらに都内を意味なく走った挙句、オウムの横浜支部までの大追跡。まるで江戸時代の大名行列もかくやの有様であった。

それに比べて、このノンビリした風景は何なのであろうか。みんな、本気でケイマのオウム脱会を信じているのであろうか。たまたまバレた微罪の償いは終わった。ミソギは済んだ。まして脱会したのだから、もうオウムの犯した大罪とは無関係、あとは何食わぬ顔して一市民として静かに暮らす……なんてことを黙って見ていていいのか！

確かに刑期が終了した以上、服役の原因になった罪に対する刑事責任は取ったのかもしれん。しかし、オウムの犯罪は総合集団犯罪ではないか。ケイマは、その集団の大蔵大臣として、犯罪の大部分に、たとえ間接的であっても、関《かか》わっていたのである。

オウムはいくら特殊な組織だったとはいえ、日本という資本主義社会の中に存在した。第七サティアンにあったサリン・プラントも、密造した自動小銃も、シャブもＬＳＤも、麻原の好物のメロンも、すべてケイマが管理していたゼニで手当てしたものである。

しかも、信じられんことに、アイツらは真理党なる政党まで立ち上げ、衆議院総選挙に一〇人の候補者を立てたが、ケイマは麻原と一緒に東京から立候補し、ＮＨＫの政見放送に登場、嘘八百を並べ立てていたのである。

それればかりでない。ケイマは、シャバにいる頃、サクラーこと飯田エリ子と同じ会社の

ＯＬ仲間であった。その飯田エリ子は目黒公証役場の假谷《かりや》さん拉致《らち》監禁致死の罪で、今もって も塀の中である。ケイマはサクラーに勧誘されてオウムに入ったのだが、同じように、ケイマがオウムに引き込んだ人間の中には、凶悪犯罪の実行犯となり、絞首台に上がる日をビビりながら待っている奴もおるであろう。そして、あの松本サリン事件の最大の被害者・河野義行さんの奥様をはじめ、まだ少なからぬ被害者が入院したままなのである。刑を終えようが、脱会しようが、許せんもんは許せん。同業者が多かろうが少なかろうが、撮るべきは撮るのである。

野次馬まで質が悪くなっている

上祐出所の時もそうだったが、ヤクザの大親分などＶＩＰ出所の際は、混乱を避けるため、早朝と相場が決まっている。私は早目に夕食を摂《と》り、珍しく酒も飲まず、午前二時には出動準備を完了していた。長い長い一日がかりの決戦になるハズなのである。

十一月も中旬だというのに、南国和歌山には生暖かい風が吹いていた。日の出までに三時間はあろうかという時刻、私は心身ともに臨戦体制に入り、現場に向かったのであった。

ここまで気合の入った同業者は他にはおるまい。私はそれくらい、あの女に私なりの出所祝いをカマしたかった。ムショに入る前の逆お礼参りをタップリしてやりたかったのである。

とっころがぁ！　真っ暗な和歌山刑務所の前まで来て、私の目は点になった。

「そ、そ、そんな……アホな……」

昨日は脚立が五、六個しか置いてなかったというのに、とんでもない大混雑になっている。正門前は立錐《りっすい》の余地というか、立脚《りっきゃく》の余地もなかった。その周りの闇に無数のカメラマンが蠢《うごめ》いている。周辺の道路にはビッシリ車が停まっていて、私たちのレンタカーを停めるスペースすらない。やはり、みんな、許せんのである。

遅かったか……。これからケイマ一匹を追い駆けるだけでも「往生しまっせぇー」（わからない人は大木こだま・ひびきの漫才を観ましょう）なのに、この大量のカメラマンたちも相手にしなければならないのである。

アングルが悪かったとか、撮影場所が限られていた、なーんて言い訳は我々の世界では通用しない。すべての障害を乗り越え、どこよりもシブい写真を上げる。それが私の雇い主に対する義理というものである。なにしろ、このご時勢に出張費を捻出してくださったのである。人差指を数ミリ動かすだけの仕事に大金を支払ってくださるのである。撮って見せようではないか。

それにしても、どっからこれだけの同業者が……と思えるほどであった。時間の経過とともに次から次へと涌いて出てくるのである。そして、その怪しげな蠢動《しゅんどう》に誘われるように、必ず全国どこにでもいるヒマなジモピー（地元ピープル）たちが、よくもこれだけと思うほど大量に出現していた。真夜中だというのに――。

政治家、官僚からガキに至るまで、この国の人間はどんどん質《たち》が悪くなっているが、野次馬も例外ではない。昔は我々の邪魔にならないように見守っている連中が多かった。野次馬といえど分際《ぶんざい》を弁《わきま》えていたのである。ところが、この頃はどうにもならんアホばっかである。ヒソヒソ声で囁《ささや》き合うだけならカワイイが、集団で嬌声《きょうせい》を上げるワ、何やら閃《せん》光《こう》を発して走り回るワ、テレビ・カメラに向かってVサインは出すワ……、始末に負えんのである。

しかし、いかに世紀末のデタラメな世の中とはいえ、まだ絶対的なものもあった。それは刑期である。一度決まった刑期だけは、仮釈、恩赦や病気などのごく稀《まれ》な事情を除いて、いくら本人が熱望しようが、縮めることも延ばすこともできない。つまり、三年八ヵ月のケイマの刑期が満了した今、いくら居心地がよくても、明日まで居残ることはできないのである。

午前五時、闇の中でギラつく我々の目の前を通って、一台のタクシーが高い塀に囲まれた刑務所の中にすべり込んで行った。間違いない。あの女は、あのタクシーに乗ってシャバに出てくる。それ以外に、こんな時間にタクシーが刑務所の中に入って行く理由がない。

至近距離から純ナマで何発も

この正門を出たケイマがどこに行くか？　ガキが住んでいるという噂の京都か、あるいは東京に戻って上祐と再会するのか？　その移動手段は車か、新幹線か、はたまた飛行機か？　私は、どのケースにも対応できるよう万全の準備を整えていた。

しかし、入って行ったのは地元和歌山ナンバーのタクシーであった。すると、ケイマの行き先はグッと絞られる。麻原とのガキがいると言われている京都までなら、地元のタクシーを使う可能性はほとんどない。京都方面へ早朝に出発する特急列車もない。つまり当面の目的地は地元のタクシーで行ける所なのである。

刑務所を出たタクシーが正門前の道を左折すれば市内である。行き先は市内のホテルのどこかということになる。右折すれば、阪和道、つまり高速へのルートである。その先にあって、地元のタクシーでいける距離にあるターミナルは唯一《ただ》一つ、関西空港である。関空は所在こそ大阪府下だが、和歌山市内から遠くない。この早朝なら三〇分もあれば着く。

ムショに入っていたので、ケイマはパスポートを持っているハズがない。とすると、早朝に離陸する国内便に飛び乗る……。とまぁ、プロは予想を立てるのだが、このくらいで驚いてはいけない。ここまでなら、半人前である。さらに該当する国内便すべてのチケットを予約しておく。スーパーシートで、である。

私は高速方面に向けてレンタカーを停め、運転席で待機していた。刑務所から出て来るケイマを車のガラス越しに撮るのはツレ（ご存じコール・サイン「ツル」こと大倉乾吾カメラマン）に任せ、あの女のツラをナマで狙う。至近距離から純ナマで何発もフラッシュを浴びせてやる。その一瞬のチャンスを摑むために、これから私はケイマを追跡するのである。

髪が長いままだと、首を吊られる

午前五時二〇分、正門奥からタクシーのヘッドライトの灯《あか》りが漏れてきた。間もなく試合開始なのが、その場のすべての同業者にわかった。

私はこういった緊張感が、たまらなく好きである。勝負の一瞬を間近にして、焦りまくるカメラマンの怒号が飛び交う。ターゲットに押し寄せる大群を制止するＰＭ（警官）のホイッスル。幾重にも取り巻いていた野次馬が、一目それを見ようと一斉に背伸びするウェーブの音。自分の手のヒラも汗でジュクッと濡れてくる。

シャッター・スピード、露出モード、ストロボ充電ランプにシンクロ信号、フィルム・カウンター……。カメラのメイン・パネルを素速くチェックし終わったその時、無線機のイヤホンからツルの慌《あわ》てふためいた声が飛び込んできた。

「デタ、デタ、デタ！　マル被（被写体）は後部座席左側！　右側は弁護士と思われる。気をつけろ！　左側か正面からヤレ（殺《や》れではありません。撮《や》れです）！　車両は当初のタクシー、ナンバーにあっても同じ。先導は地元のＰＣ（パトカー）一台！」

私は、ケイマをナマで仕留めることに勝負を賭けていた。車から降りる瞬間は、まさにそのチャンスだから、このタクシーが停まる所までは、どうしても追跡しなければならない。決して目を離してはならないのである。ところが、これがなかなかムズかしい。タクシー一台だけなら簡単である。しかし、我々を排除するための地元警察車両が付くのである。しかも、タチの悪い同業者を乗せたバイクや、あらゆる種類の車両がわれ先にと殺到するのである。

ツルからさらに無線が入った。

「後部座席、両側は薄いスモーク。マル被の着衣にあってはグレー？（語尾上げ）のスーツ？　と思われる。ハツ（焼き鳥ではない。頭髪のことを業界ではこう言う）にあっては肩、までか？　髪は切ってある！」

ホッホォウ！　髪は切ったかあ？　そりゃ、あれだけ長いと首吊《つ》られると困るからのぉ……。女オウムの特徴の一つに長い黒髪がある。これだけはカタギの日本女性も見習って欲しいもんである。一昔前まで日本人はバナナと呼ばれ、アジアの同胞から、その欧米カブレをバカにされたものである。皮膚は黄色いが、中身は白い（欧米人）というのである。

しかし、最近は肌や髪の色をワザと汚している女がやたらと増えてしまった。大和撫子《やまとなでしこ》の髪はみどりの黒髪に限るのである。それが一番似合うというのがわからんのであろうか。

オウムは、髪を切るとカルマ（業）が増えるなどと理屈をコネていたが、当然、単なる麻原のシュミにすぎない。きわめて遺憾《いかん》ながら、日本女性の髪のシュミだけは、私と麻原は同じなのである（ああ気色ワル）。ツルから三度目の無線が入った。

「右折、右折、右折！　車両は右折した！」

やはり、予想通りか……。これで間違いない。あのタクシーは阪和自動車道に乗って、真っ直ぐ関西空港へ向かうのである。


不肖、パトカー、報道車の先頭を走る！


私は右手でハンドルをギリリと握り直し、左手でセンター・コンソールに置いていた愛機を手元に引き寄せ、バック・ミラーを覗き上げた。正門を出て右折したタクシーは、まもなく私のレンタカーの後方に姿を現わすのである。

久し振りに拝む、あの性悪の顔である。オウムの富士宮総本部で金切声《かなきりごえ》を張り上げ、私を脚立から引きずり下ろした、あのヒステリックな顔。熊本でテレビ・カメラを前に堂々とオウムの正当性を訴えていた、あのふてぶてしい般若顔《はんにゃ》が、三年八ヵ月の懲役でどう変わったであろうか？　楽しみなことである。

まもなく、そのツラに天誅《てんちゆう》が下るであろう。私が下すのではない。オウム正大師マハーケイマを、天が誅するのである。法で裁《さば》き切れぬ悪に正義のフラッシュを浴びせるのである。私はしっかとハンドルを握り、気合とともにアクセルを踏み込んだのであった。

「ただちに車両を移動させなさい！　白のレンタカー、そのまま直進しなさい！」

スピーカーからの怒号が聞こえてくる。ケイマを乗せたタクシーを先導する和歌山県警の車両である。私同様、追っかけのために道路上で待ち伏せしていた車を排除しようとしている。抵抗しても時間のムダである。我々が動かないかぎり、あのタクシーはこの道を走らないのである。

私の車の後ろには、長い長い車列が出来上がっていた。この商売を始めて一七年、ずいぶんと追っかけをしてきたが、マル被車両の前を走りながら「追っかける」のは初めてである。

そもそも追っかけというのは、ガキカメ（駆け出しのジャリカメラマン）の仕事である。目も運動神経もバリバリの若いヤツ向きの仕事なのである。しかも、ここは私の走り慣れた都内ではなく、和歌山なのである。

ついでに車も、オール皮張りシートのメルセデスではなく、しけた国産レンタカーなのである。エンジンなんぞ、私の愛車の半分もない二〇〇〇CC。足回りだって、乗り心地重視のフニャフニャ。車は、それを作る国民の女に似ると言われるが、国産の車がフニャフニャなのは、日本の女どもの根性がフニャフニャということであろう。

なーんてグチッているうちに、コンボイは阪和道和歌山インター・チェンジに入りつつあった。シュールな光景であった。夜明け前の真っ暗な高速のインターで、私の運転する車の後ろに無数のパトランプ（パトカーの赤色回転灯）が回り、長い車列が続いているのである。

料金所のゲートが一つしか開いていない。当然、和歌山県警のサシガネである。マル被車両とエスコートの警察車両をスムーズに通過させるためである。

先頭で料金所を抜けた私の目の前に、これまたシュールな光景が広がっていた。高速警察隊のエスコートPCが、これまたパトランプをブン回して、ついでにエンジンもバンバン温めて待機していたのである。ご苦労なことである。

和歌山県民の皆さん、この大袈裟《おおげさ》な警備が、ぜーんぶ皆さんの払った税金で賄《まかな》われているんですよ！　オウムの大幹部を警護するために使われているんですよ！

私は、本線手前で待ち構えていた高速警察隊のPCの後ろに、シレーッと車を停めた。

すると、無線機からツルの怒鳴り声。

「アッカン！　料金所が封鎖された！　マル被のタクシー、エスコートのPCともに通過後、料金所が閉鎖されたぁ！」

ふっふっふっ……。やりよるのぉ……。しかし、こっちだって昨日今日《きのうきょう》カメラマンを始めたシロートではないのである。こういうこともあろうかと、ツルも含めて何人ものカメラマンで出張《でば》ってきたのである。

「後は任せたどぉ〜！」

「よっしゃあ！　任したらんかい！」

ツルの祈るような声を後ろに、私は大名行列のようなパトランプの列が右側をドドッと通り過ぎた直後、アクセルを踏み込んだ。暗さとパトランプの眩《まぶ》しさのため、ケイマの顔は拝めないが、目の前数十メートルのタクシーの後部座席にいるのである。

関西空港出発ロビーの激戦

料金所の封鎖解除をツルからの無線で知ったのは一〇分後であった。甘い甘い。一〇分くらいの遅れを取り戻せんようなアホは、この業界で生きてはいけない。そこからはF─1のスタート・ダッシュ状態でガラガラの阪和自動車道を大量の報道車両が猛追してくるのであった。

ケツ持ち（マル被車両を後続の報道車両や一般車から分離する役目）の二台のＰＣは片側二車線の阪和道をピタリと塞《ふさ》ぎ、我々をケイマの乗ったタクシーに近付けさせない。

そこにサンルーフを開け放ったワゴン車から、ＥＮＧ（テレビ・カメラ）を担いだカメラ・クルーが肉迫する。何とか車列の前に回り込もうと大型バイクが二台のＰＣの間に割り込もうとする。見苦しい争いを繰り返すうちに、阪和道と新空港道路の分岐点が近付いてきた。

「さあ、どっちやあ？」

左に抜ければ、次は関空で行き止まり、このまま本線を進めばガキのいる京都方向である。次の瞬間、私は車内で小躍《こおど》りした。タクシーを囲んだ赤いパトランプの車列が、ご丁寧にも一斉にウィンカーを左に出し、ゆっくり方向を変更したのである。

阪和道の料金所が目前に迫ると、エスコートのＰＣは、潮《しお》が引くようにタクシーから離脱し始めた。高速警察隊のお勤め終了なのである。そして料金所の向こうには大阪府警のＰＣが待ち構えていた。さすが管轄《かんかつ》主義の日本のお役所である。ご苦労なことである。

タクシーが料金所で一旦停止する気配を察知して、ハイヤーで追っていたカメラマンたちが一斉に高速道路上に躍り出る。

「やめんかい！　アブないやろがあ！　ワレェ！　ジャマすんなあ！　こっらぁー！」

料金所の向こうから大阪弁のＰＭの怒鳴り声が響き渡る。勝負の瞬間はもうすぐである。戦いはもうすぐクライマックスを迎えるのである。次にこのタクシーが停まったとき、今回の仕事の成否が決まるのである。私の位置はケツ持ちＰＣの真後ろ、二秒あればターゲットに襲いかかれるであろう。

そして、五分後、煌々《こうこう》たる関西空港出発ロビーのカクテル光線の下、ケイマを乗せたタクシーのブレーキ・ランプが点灯した。次の瞬間、私はカメラを引っ摑んで、レンタカーの運転席から飛び出していた。同業者もアホではない。ここにも大量のカメラマンが手ぐすね引いて待っていた。和歌山刑務所前がカワイく見えるほどである。

後はお決まりの大混乱であった。ケイマの肩を抱きかかえ、カメラとライトの海を搔き分けるＰＭの怒声。わずかなアングルを求めて次々とレンズを突っ込むカメラマン。それを払い除けるようにＰＭの手が出る。足が飛ぶ。さらに空港公団のオッサンたちも騒ぎに加わる。そして、みんな走るのであった。何も知らずノー天気に海外旅行に出発しようとしていた一般人が混乱に巻き込まれ、あちこちで悲鳴を上げる。ストロボが飛び、腕章が引きちぎられる。

その時であった。足許で「ドッチャン」という鈍い音がしたかと思うと、私の身が軽くなった。恐る恐る視線を下ろすと、愛機の望遠レンズが転がっていた。フィルターが粉々に砕《くだ》けた変わり果てた姿で——。

ああ、またやってもうたあ……、トホホ……。このところ取材に出る度に機材をブッ壊す。やっぱりトシなんやろか。キャノンの報道機材課では、また「クラッシャー」と陰口を叩かれるんやろなあ……。受付のM嬢から「ミヤジマさん、わざとお壊しになられるのですか？　それともニュートンの法則のせいだとか、電磁波の影響のせいにされるのですか？」とイヤミを言われるのであろうか。

そんなことを心配しているヒマはない！　レンズの一本や二本、ストロボの三個や四個、ブッ壊したところで、一枚のベスト・ショットが撮れれば充分なのである。

私は、エレベーターに乗り換えたケイマと警官を追いかけるべく、すさまじい勢いで向かいの階段を駆け降りた。レンタカーと壊れたレンズを残したまま……。

あとの始末は、ここまで車のバラスト（重り）にしかならなかった記者の役目。我々カメラマンは必要最低限の機材だけを担《かつ》いで、マル被を追っていくのであった。

「静かな普通の生活」なんて、させない！

ケイマは有料待合室の奥に消えた。短いようで長い半日であった。しかし、これで今日のミッションが終了したわけではない。ここまではほんの序曲である。

空港に来たからには、飛行機に乗ってどこかへ行くのである。ここが最終目的地ではない。すでに述べたように、用意周到な私は、この早朝に出発するすべての国内便に予約をぶち込んでいた。つまりケイマを追って、どの飛行機にでも飛び乗れるようにしていたのである。

もちろん予約はスーパーシートから押さえるのが、この世界の常識。予約だけならバッタ・チケットでもスーパーシートでもタダなのである。

出発ゲートでケイマを待ち構えていた我々に、弁護士を通じて「ごあいさつとお願い」と称するケイマの直筆コメントのコピーが配られた。

||||||||||||||||||||||||||||

本日、私は和歌山刑務所を出所致しました。無事刑期を務めることができましたのも、刑務所の職員の皆様方をはじめ、関係者の皆様のおかげです。深く感謝申し上げます。

私は何とか刑事責任を果たすことができました。しかし、私がかつて置かれていた立場を振り返りますと、オウム真理教による数々の事件について私の道義的責任は免れません。被害者の皆様方に対し、あらためて心からお詫び申し上げます。被害者の皆様の苦しみが、少しでも和らぐことを願っております。

そのためにも、私は今日から社会の中で、罪の償いをしていかなければならないと考えております。私は、すでにオウム真理教を脱退しております。また、今後アレフに戻る意思も全くございません。これからは、一人の社会人として認めていただけるよう、できるだけの努力をしていきたいと考えております。そして、子どもたちと静かな普通の生活を送っていけたらと希望しております。

最後に、報道関係の皆様方にお願いがございます。私の心境は以上のとおりですので、どうか今後は、私ども家族をそっとしておいていただくようお願い致します。

平成十二年十一月十八日　　　　　石井久子

ヘソが茶を沸かすではないか。冗談やない！　そんな勝手な言い種《ぐさ》は、法は許しても、天は許さん。不肖・宮嶋も許さん！

　確かにケイマの見掛けは変わっていた。腰まであった髪をバッサリ切り、現役時代には一度も見たことがないスカート姿。カメラマンや記者に囲まれても、あのヒステリックな金切声は上げなかった。麻原の寵愛《ちょうあい》を一身に受け、肩で風を切っていた頃の、あのド厚かましい態度は微塵《みじん》も見せなかった。

　しかし、そんなものは演技であろう。三年八ヵ月の刑を終えたのに、ガラの悪いカメラマンたちに囲まれ、小突かれ、レンズとライトの嵐に晒《さら》されるカワイソウな母親。そんな役柄を見事に演じ切ったようにしか、私には見えないのである。

　ケイマの現役時代、彼女の母親は脱会させようと何度もオウム施設に足を運んだという。

「ヒサコウ〜！　帰ってきておくれ〜！」

　岸壁の母のようにオウム施設の高い壁に呼びかける母親を、カス・オウムどもは脅迫的な言動で追い返そうとした。あまりの非人道的無礼な態度に母親が「何するの！　私はケイマの母よ！」と一喝すると、カス・オウムどもは反射的に身を引いたという。

　母親の必死の呼び掛けを無視し、極悪非道の犯罪に手を染めた女が、今度は「子どもたちと静かな普通の生活を送っていけたらと希望しております」だと？

どのツラ下げて、そんなことをホザけるのであろう。地下鉄で殺された一九人も六〇〇〇人以上の被害者も皆、静かな普通の生活を送りたかったのである。

「今後は、私ども家族をそっとしておいていただくようお願い致します」だと？

そうはイカンやろ。オウムをソッとしておいた我々はどうなった？　社会はどうなった？

刑期を終え、釈放された以上、警察も露骨には監視できないであろうが、我々は違う。この女を許していない人間が、この日本に少なくとも六〇〇〇人以上はいる。そのことを死ぬほど認識させてやろうではないか。

私は考える猟犬である

ケイマの搭乗機はすぐにわかった。というより早朝の東京行き日航機のスーパーシートが怪しいという噂が、我々の間では前日から流れていたのである。昨夜、私が予約をブチ込んで、しばらくすると満席になったという。

日航の職員が搭乗ゲートをうろつき始めたのを見て、私は確信を持った。

「乗客の方はお早めに搭乗してください」

「動く歩道を通りますので、混乱のなきよう、ご注意ください」

「機内では取材できません。ご了承ください」

日航職員が慌《あわただ》しく我々に声をかけ始める。何をバカなことを言っているのか。こっちはもう搭乗券を持っているのである。撮れるチャンスはことごとく逃さんのである。ケイマは離陸寸前まで姿を現わさない。我々はどっちにしろ乗るのだから、どうせなら、撮ってから乗ったほうが得だというのは子供でもわかることである。どだい、我々に秩序や紳士性を求めるほうがおかしい。我々はそれぞれが一個の独立した猟犬なのである。獲物をぶら下げられたら、後先《あとさき》なく、噛みにいくのである。ただし、私はただの猟犬ではない。考える猟犬である。

離陸時刻まであとわずかとなった時、ケイマは弁護士と空港職員を伴って、再びカメラの前に姿を現わした。今度は、動く歩道上だけはケイマをゆっくり料理できた。終始無言のマル被をいくつものカメラのレンズが舐めるように全身をなぞった。そして彼女が搭乗ゲートに消えた瞬間、最後のパッセンジャーの我々も機内に雪崩《なだれ》込んだ。

ケイマは、噂通り機内最前部のスーパーシートに押し込まれた。同時にパーサーとスチュワーデスが一般席との仕切りのカーテンを素速く閉め、このＶＩＰを一般客の目から隠した。

着席してシートベルトを締め、冷静になった私は周囲を見渡した。約二〇席ほどのスーパーシートは満席である。ケイマは機体左側の前から三列目の窓際。通路側に弁護士、後方には私服のPMが控えていた。

しかし、スーパーシートはないやろう。関空から羽田までのスーパーシートの料金で、一九人の死者のために花束と線香が買えるぞ。そのカネは弁護士先生のオゴリか母親の仕送りか。それともオウムの隠し財産か。詫《わ》びるなら、せめてJRの鈍行に乗るくらいの誠意を見せたれよ。

スーパーシートの約半数が同業者である。さすがにでっかいENGを抱えたテレビ・クルーはいないものの、小さいデジカメを膝にのせたニィちゃんや、私と同様、完全武装のカメラマンがシレーッとしてシートに収まり、左の窓際に鋭いガンを飛ばしていた。私の席はスーパーシート最後部の通路側、隣はもちろん同業者である。

「ただちに座席にお座りください。シートベルトをしっかり締め、携帯電話など、すべての電子機器の電源をお切りください」

機内アナウンスも、我々に対するイヤミたっぷりである。「すべての電子機器の」である。我々はただでさえ周囲に人並み外れた殺気を放射している。それに加えてプロ用カメラにストロボ、高電圧外部電源に無線機と、体中に電子機器をぶら下げ、ハリネズミのように電波を発している。そんな人間が一〇〇人以上も狭い機内に犇《ひし》めいている。全員が一斉に電源を入れたら、たしかにコクピットの計器が狂い出すであろう。

敵からの施《ほどこ》しは受けん

ここで、こうした機内での追い込み取材について説明しておこう。最近は、大型旅客機内での取材が非常にやりにくい。先般の日航機同士のニアミス事故でもわかるように、機長は離陸後の上空においてもシートベルト着用のランプを点《つ》けっ放しにできる。つまりフライトの間ずっと乗客をシートベルトに縛りつけることが可能なのである。

カメラを担いで立ち上がろうものなら、すぐに「安全のため、席にお着きください」とクギを刺される。いくら報道の自由や「ちょっとだけならエエやないか」と主張したところで、機内において機長の命令は絶対なのである。となると、問題は座席の位置である。マル被の近くで前か横、移動の自由が利く通路側がいいのは言うまでもあるまい。しかし、これは空港カウンターまでわからない、ロシアン・ルーレットみたいなものである。

繰り返すが、ケイマの席はスーパーシートの前から三列目の窓際、私の席はスーパーシート最後部の通路側。席を立たなければ狙えない位置である。カーテンで仕切られたスーパーシートのスペースでは、少なくとも二人の乗務員と一人の弁護士、そしてPMが目を光らせている。ちょっとでも私が席を立とうとすれば、押し止《とど》めるために飛んでくる。

ケイマより前のシートに座っていたフライデーのカメラマンが隙《すき》を見て立ち上がり、カメラを向けた。

「おい！　おい！」という弁護士の怒鳴り声が響き渡る中、フラッシュが二、三度、閃光を発した。そしてカメラマンはパーサーによって席へと押し戻された。

クッソォ！　私のシートからは、ケイマの顔を拝めないどころか、声すら聞こえない。私は蛇の生殺し状態で、膝の上のカメラを握り締めた。私の隣、窓際の席の同業者がギリギリ歯嚙《はが》みする音が聞こえる。彼は私よりさらに不利な位置なのである。

「おい、やりたきゃあ、俺を飛び越えて勝手にやれ」

そう声を掛けたが、彼は頷《うなず》くだけであった。しかし、我々はガキの使いではない。「ダメですよ」と言われて「ハイそうですか」と引き下がるわけにはいかんのである。

この世で私に命令できる人間はクライアント（雇い主）だけである。つまり仕事を発注したデスクか編集長だけなのである。そして、その人物がいない場合、私が従うのは、社会の常識や日本の法律ではなく、カメラマンの本能である。私け人間である前にカメラマンなのである。

スチュワーデスが飲み物を持ってきた。冗談やない。スーパーシートの料金には、飲み物代も含まれているのだろうが、今この空間内では、スチュワーデスは敵である。仕事中、私のカメラ・アングルに割り込んでくる人間はPMだろうが、同業者だろうが、すべて敵である。私の脳のIFF（敵味方識別装置）には、そうインプットされている。

ちなみに、私にとって良い人とは、仕事をくれる人、取材に協力してくれる人、ただでやらせてくれる女《ヒト》、私の本を買ってくれる人だけである。それ以外はすべてクズである。

不肖・宮嶋、ジュース一杯でも、敵から施しを受けるわけにはいかんのである。しかし、スチュワーデスは飲み物の後に弁当を配り出した。早朝便のみのサービスである。どうせ、合成防腐剤まみれのお子様ランチみたいなもんである。

だが、その時、私の腹が、本人の意志に反してグゥグゥ鳴りだした。世間ではまだ早朝かもしれんが、私は二時から臨戦態勢に入り、食物をまったく口に入れていないのである。

「どうぞ、せっかくですから」

目尻に皺《しわ》を寄せ、汚い物でも見るような目付きである。憐れみを含んだ作り笑いを浮かべるスチュワーデスに、私は最後の意志の力を振り絞って答えたのであった。

「結構です。要《い》りません！」

キッパリと拒絶したのであった。エラい！

機内左前方に目を凝《こ》らすと、ケイマの所にもパーサーがやって来た。さあ三年八ヵ月ぶりのシャバで初めて口にするのはなんや？　私は耳をすませた。ケイマとしばらく囁《ささや》き合った弁護士の口から出た注文は「リンゴ・ジュース」。確かに聴き取った。

かつては尊師のエネルギーを注入したミラクル・ポンド（麻原の風呂の残り湯）や、クソまずいアストラル・ドリンク（オウム・ドリンク）しか口にしなかった女がリンゴ・ジュースか。やっぱり現役時代からご法度《はっと》だったコーヒーは頼まんか——。

「食事は？」という弁護士の囁きの後、シートの隙間からケイマが掌を前に向けて振るのが見えた。ほうかぁ！　食わんんか。肉か魚が入っとったんか——。

ここまできて、私はムチャクチャ眠くなった。昨夜からほとんど寝てないのである。戦いはまだまだ続くのである。私はスーパーシートで、しばしの休息に入った。

いまだに「麻原さん」と呼んでいる

ランディング（着陸）を知らせる機内アナウンスで、我に返った。スーパーシートにまで乗せてもらっているのに、宮嶋は何もせんと眠っているのかと思った読者は甘い。私は次の瞬間を狙っていたのである。

着陸のショックで、ジャンボ機の巨体が軋《きし》んだ。スーパーシートの同業者たちもソワソワし始めた。これだけのカメラマンを四、五人では絶対に防ぎ切れない。勝負は一瞬だが、必ず隙ができる。飛行機というものは、宙に浮いている間だけが危ない。車輪が地面に着き、機体が止まり、エンジンが停止すれば、クルーの言う「安全のため」なんて能書《のうが》きは通らないのである。

ポーンという音がしてシートベルト着用サインが消えた。その瞬間、機内にいくつものバックルのスプリングが開放される音が轟《とどろ》いた。そして、桜田門《さくらだもん》外で待ち伏せていた水戸藩士が抜刀するように、我々は一斉にもの凄い形相《ぎょうそう》で立ち上がった。皆、手に手にカメラを握って――。

「危険ですから、まだ電源はお入れにならないで！」

クルーの手が我々の前に拡げられる。時間に余裕があれば「ウルサイわい！　止まった飛行機の中でエラそうにするな！」と教えて差し上げられるのだが、今は時間がない。クルーの手の間から見たケイマは、水に落ちた犬のごとくシートで震えているように見えた。

私も同業者も容赦なくフラッシュを浴びせた。ケイマは、まるで債権者に取り巻かれたサラ金通いの哀れな主婦のようであった。目の前のこの女が本当にケイマなのか——。あの富士宮で、名古屋で、石垣島で、私を追い回した女と同一人物とは、とても思えん。我々はこの後、バスに詰め込まれてターミナルまで送られた。ケイマ一行は一般客がすべて消えた後、同じバスで送られるのである。

そして、羽田から、この日二度目の車での追っかけが始まった。今度はターミナル前の駐車場に停めておいた愛車スーパー・ベンツでの追跡である。バッタ席に乗ってきたツルを助手席に乗せ、ケイマの乗る日産プレジデントのハイヤーを再び追い掛け回した。

プレジデントは首都高一号線を都心に向かい、汐留《しおどめ》インターで高速を降り、しばらく都心を走り回った挙句、溜池《ためいけ》の日商岩井ビルの地下駐車場に滑り込んだ。この間の私のシブい追跡はニュースでも流れたので、ビデオを録《と》った人はシッカリ見直すように。プレジデントの直後ピッタリに付けた、私のシブいセンスが光るスーパー・ベンツの後姿が拝める

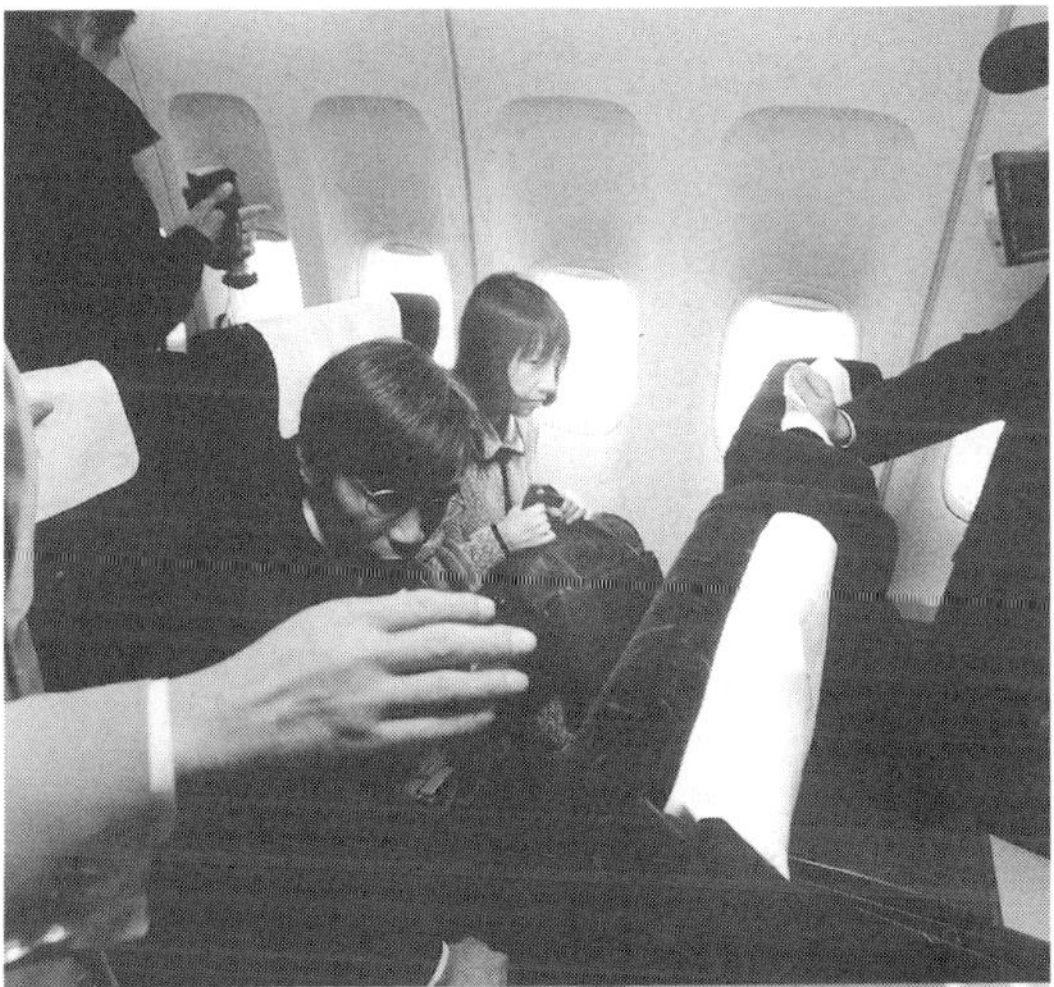

見た目はすっかり地味なオバハンになった石井久子。下はブイブイいわしていた頃。心まで変わったか？

であろう。

しかし、日商岩井ビルの地下で車を乗り換えたケイマに、結局、巻かれてしまった。後で聞いたところによると、ケイマ一行は地下鉄を乗り継いで報道陣を振り払おうとしたという。

その日の午後、都内のホテルで弁護士立会いのもと、ケイマの記者会見が開かれた。その時、私は週刊文春編集部のソファで爆睡していて、会見が開かれていたことすら知らなかった。

後でニュースを見たら、ケイマはしおらしく哀れな母親を演じていたが、麻原のことを終始「麻原さん」と言っていた。呼び捨てにはできないのである。やっぱりケイマは、改心などしていない。オウムから離れることはできないだろう。

本当に脱会するかどうかを確かめるため、私は今後もケイマの目の前に現われてやるつもりである。奇遇にも同じ歳ではないか。ずぅ〜と覚悟するように——。

一〇〇字書評

切り取り線

購買動機（新聞、雑誌名を記入するか、あるいは○をつけてください）	
□（　　　　　　　　　　）の広告を見て	
□（　　　　　　　　　　）の書評を見て	
□ 知人のすすめで	□ タイトルに惹かれて
□ カバーがよかったから	□ 内容が面白そうだから
□ 好きな作家だから	□ 好きな分野の本だから

●最近、最も感銘を受けた作品名をお書きください

●あなたのお好きな作家名をお書きください

●その他、ご要望がありましたらお書きください

住所	〒				
氏名		職業		年齢	
新刊情報等のパソコンメール配信を 希望する・しない	Eメール	※携帯には配信できません			

あなたにお願い

この本の感想を、編集部までお寄せいただけたらありがたく存じます。今後の企画の参考にさせていただきます。Eメールでも結構です。

いただいた「一〇〇字書評」は、新聞・雑誌等に紹介させていただくことがあります。その場合はお礼として特製図書カードを差し上げます。

前ページの原稿用紙に書評をお書きの上、切り取り、左記までお送り下さい。宛先の住所は不要です。

なお、ご記入いただいたお名前、ご住所等は、書評紹介の事前了解、謝礼のお届けのためだけに利用し、そのほかの目的のために利用することはありません。

〒一〇一-八七〇一
祥伝社黄金文庫編集長　吉田浩行
☎〇三（三二六五）二〇八四
ohgon@shodensha.co.jp

祥伝社ホームページの「ブックレビュー」からも、書けるようになりました。
http://www.shodensha.co.jp/bookreview/

祥伝社黄金文庫

祥伝社黄金文庫　創刊のことば

「小さくとも輝く知性」――祥伝社黄金文庫はいつの時代にあっても、きらりと光る個性を主張していきます。

真に人間的な価値とは何か、を求めるノン・ブックシリーズの子どもとしてスタートした祥伝社文庫ノンフィクションは、創刊15年を機に、祥伝社黄金文庫として新たな出発をいたします。「豊かで深い知恵と勇気」「大いなる人生の楽しみ」を追求するのが新シリーズの目的です。小さい身なりでも堂々と前進していきます。

黄金文庫をご愛読いただき、ご意見ご希望を編集部までお寄せくださいますよう、お願いいたします。

平成12年(2000年) 2月1日　　祥伝社黄金文庫　編集部

不肖《ふしょう》・宮嶋《みやじま》 撮《と》ってくるぞと喧《やかま》しく！

平成15年2月20日　初版第1刷発行
平成23年1月15日　　　第2刷発行

著者　宮《みや》嶋《じま》茂《しげ》樹《き》

発行者　竹内和芳

発行所　祥《しょう》伝《でん》社《しゃ》
東京都千代田区神田神保町3-6-5
九段尚学ビル　〒101-8701
☎ 03 (3265) 2081 (販売部)
☎ 03 (3265) 2084 (編集部)
☎ 03 (3265) 3622 (業務部)

印刷所　萩原印刷

製本所　ナショナル製本

造本には十分注意しておりますが、万一、落丁、乱丁などの不良品がありましたら、「業務部」あてにお送り下さい。送料小社負担にてお取り替えいたします。

Printed in Japan
©2003, Shigeki Miyajima

ISBN4-396-31317-9　C0195

祥伝社のホームページ・http://www.shodensha.co.jp/

宮嶋茂樹

這って、
立って突撃して、
モノにした
スクープの数々！
泣ける
笑える
この3冊！

不肖・宮嶋
死んでもカメラを離しません

不肖・宮嶋
空爆されたらサヨウナラ

戦場・コソボ、決死の撮影記

不肖・宮嶋
撮ってくるぞと喧《やかま》しく！

祥伝社黄金文庫